AUTO CAMP KANSAI

関西

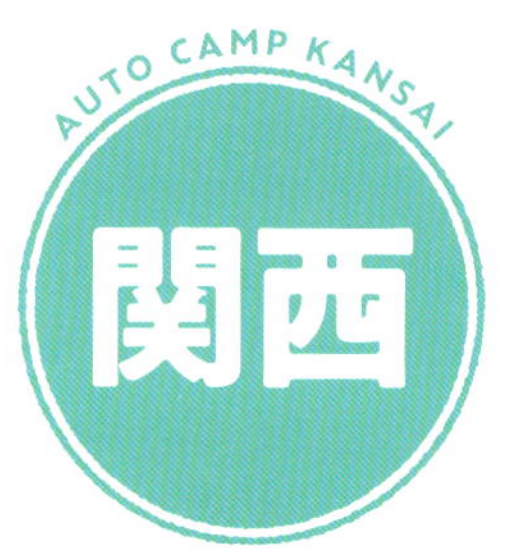

オートキャンプ場 こだわり厳選ガイド

改訂版

滋賀・京都・奈良・和歌山・大阪・兵庫

アリカ 著

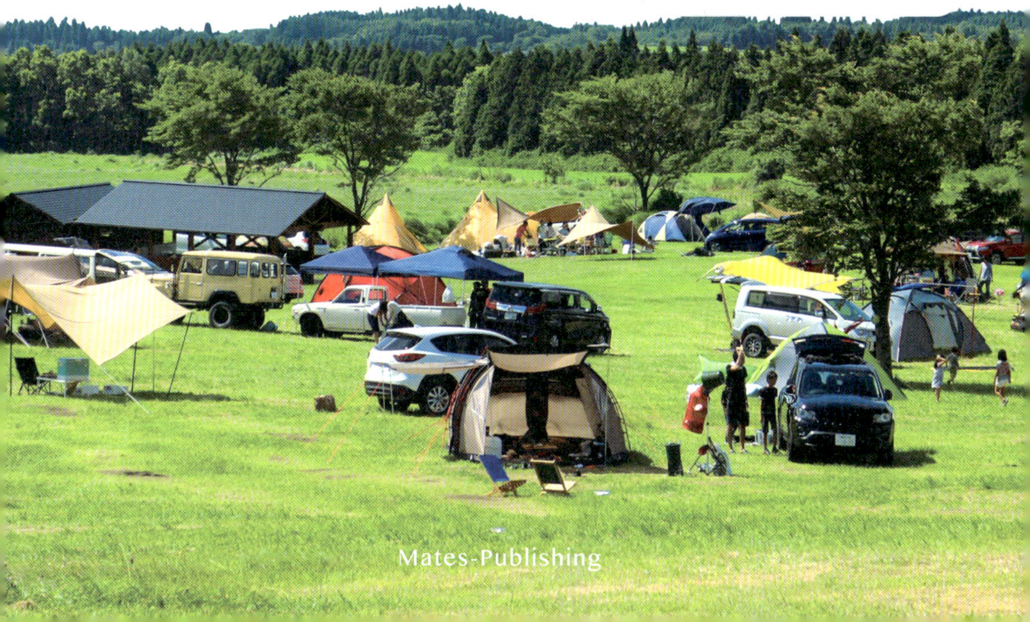

Mates-Publishing

Contents

※本書は2018年発行の『関西オートキャンプ場 こだわり厳選ガイド』を元に、再取材および情報更新、一部掲載施設の入れ替えを行い、改訂版として新たに発行したものです。

オートキャンプ場 こだわり厳選ガイド

改訂版

アリカ 著

Mates-Publishing

69 和歌山県

97 大阪府・兵庫県

141 Index

本書のご利用方法

キャンプ場名とデータ

キャンプ場の名称、住所、予約受付日程、予約や問い合わせの電話・ファックス番号・メールアドレス、利用期間、チェックイン・チェックアウト時間などが記載されています。
（問の付く連絡先からは、予約受付できません）

所在府県

滋賀県・京都府・奈良県・和歌山県・大阪府・兵庫県のうち、キャンプ場がある府県を表示しています

モデル料金とレンタル品

大人＝㊅2人＋小学生＝㊫2人で、オートサイトで1泊した場合の料金の目安と、レンタル可能な品が記載されています（1ページ掲載のキャンプ場は記載場所が異なります）

CAMPING AREA

オートサイトの区画数・広さ・料金・地面の状態、入場料、駐車料、モデル料金（1ページで掲載のキャンプ場のみ）、その他のサイト・宿泊施設の料金などが記載されています

管理棟などの時間

管理棟・売店・飲食店・風呂等の時間、レンタル可能な品（1ページ掲載のキャンプ場のみ）などを記しています

滋賀県

大河原温泉アウトドアヴィレッジ かもしかオートキャンプ場

林間

HP　FB　Instagram

●おおかわらおんせんあうとどあゔぃれっじかもしかおーときゃんぷじょう

滋賀県甲賀市土山町大河原1104

予約受付　利用日の3カ月前から（利用当日の受付可）
TEL 0748-69-0352（9:00～20:00）
FAX 0748-69-0370

利用期間　通年
in 13:00
out 11:00

野州川ダム管理事務所
若宮神社
ライダーハウス神戸
至蒲野
至国道1号線

新名神高速道路「甲賀土山」ICから　車で約20分

乗り入れ可能車種
普通車　キャンピングカー　トレーラー

⬆A・Bサイトはペグが使える土サイト。山の眺望も抜群

手入れの行き届いた設備と徒歩圏の温泉で快適キャンプ

鈴鹿国定公園の豊かな自然を楽しみながら、隣接ホテルの天然温泉やレストランなどの快適な設備も利用できる、初心者やファミリーにおすすめのキャンプ場。2018年のオープンで、温水が出る炊事場をはじめ清掃の行き届いた設備、全区画AC電源付きで広めのサイトなどが好評。ドッグランがあり、愛犬連れキャンプも楽しめる。人工芝のごろ寝スペース付きのサイトやあずまや付きのサイトなど、少しリッチに過ごせる個性派サイトも。

CAMPING AREA

オートサイト	21区画（約10m×10m） ●AC電源付き 1泊4800円～
サイトの状態	砂　土　芝生　その他
入場料	1泊200円（環境協力費）
駐車料	無料
その他	キャビン付きサイト10棟：1泊9000円～

モデル料金　㊅2㊫2　1泊 ➡ 約5600円
（サイト利用料＋環境協力費）
レンタル　ガスコンロ&鉄板セット

近隣スポット＆所要時間（車）
買い物　「道の駅 あいの土山」…約20分
「フレンドマート土山店」…約20分
「フレンドタウン日野」…約20分
遊び場　「甲賀の里忍術村」…約30分
病　院　「日野記念病院」…約20分

施設：管理棟　コテージ等　売店　飲食店　自販機　レンタル　炊事場　洗濯機　乾燥機　AC電源　温水シャワー　風呂　洋式水洗　和式水洗　公衆電話　夜間照明

利用条件：デイキャンプ　ゴミ捨て　直火　花火　ペット
※犬・猫のみ可。キャビン内は不可
ゴミは分別要。たき火はたき火台使用で可。花火は指定の場所・時間で手持ちのみ可

携帯電話：au　docomo　SoftBank

※売店9:00～21:00、飲食店11:00～14:00（かもしか荘内）

10

施設

管理棟・コテージ等・売店・飲食店・自販機・レンタル・炊事場・洗濯機・乾燥機・AC電源・温水シャワー・風呂・洋式水洗トイレ・和式水洗トイレ・公衆電話・夜間照明のうち該当する設備がカラーで示されています

管理棟　コテージ等　売店　飲食店　自販機　レンタル
炊事場　洗濯機　乾燥機　AC電源　温水シャワー　風呂
洋式水洗　和式水洗　公衆電話　夜間照明

⬆清潔なキャビンも人気が高い。中型テント付きの特別サイトは3世代キャンプにもおすすめ

⬆ハンモックなど子どもが喜びそうな設備も充実。2020年には手作りのミニジップラインが完成!

プレイSpot

キャンプ場の横には野洲川の源流が。夏は水遊びが楽しめるほかホタルが飛び交うことも。広大な敷地には24ホールを備えたグラウンドゴルフ場もあり、気軽に遊べる。

Memo

春～秋は開放感あふれるガーデンジャグジー(利用者無料)もオープン。水着着用必須なので持参を。

CHECK!

キャンプデビューや時間節約派はキャビンへ!

エアコンと小型冷蔵庫、屋根&テーブル付きのウッドデッキを備えたキャビンの利用も人気。テントや寝具の設置・撤収の手間が省けるので、初キャンプの人や遊び重視派は選択肢のひとつにしてみては。

⬅隣接する「かもしか荘」の温泉には露天風呂(大人500円・12歳未満250円)も

11

ロケーション

山間・林間・高原・海辺・川辺・湖畔・公園のうち、該当する立地環境を表しています

HPとSNS

ホームページおよびフェイスブック、インスタグラムの有無がカラーで示されています

MAPとアクセス

所在地と近隣の道や目印を簡略化して表示した地図です。また、最寄りの高速インター等からの所要時間も記載しています

乗り入れ可能車種

普通車・キャンピングカー・トレーラーのうち、乗り入れ可能な車種を黒で、不可能な車種をグレーで表しています

プレイ Spot

キャンプ場内や近隣でできる遊び・観光の紹介をしています

Memo

キャンプ場のオススメ事項などが書かれています

CHECK!

注目してほしいキャンプ場の特徴などが書かれています

近隣スポット&所要時間

近隣の立ち寄り湯・スーパー・コンビニ・道の駅・遊び場・病院などへの所要時間です

利用条件と携帯電話

デイキャンプ・ゴミ捨て・直火・花火・ペット連れのうち、可能なものがカラーで示されています。利用についての注意書きも記しています。また、au・docomo・SoftBankのうち、つながる携帯電話がカラーで示されています

関西 オートキャンプ場 こだわり厳選ガイド

掲載キャンプ場 全体MAP

この地図は本書掲載キャンプ場のおおよその位置を示したものです。お出かけになるときの目安としてお役立てください。各キャンプ場の正確な所在地は、各記事に掲載されている個別の小MAPをご覧ください。

兵庫県

兵庫県

大阪府

山陰近畿自動車道
山陰近畿自動車道
北近畿豊岡自動車道
鳥取自動車道
岡山県
播但連絡道路
兵庫県
中国自動車道
舞鶴若狭自動車道
山陽自動車道
神戸淡路鳴門自動車道
第二神明道路

滋賀県

京都府

福井県
舞鶴若狭自動車道
北陸自動車道
京都府
滋賀県
三重県
名神高速道路
京都縦貫自動車道
東名阪自動車道
新名神高速道路
京滋バイパス
中国自動車道
京奈和自動車道
大阪府
第二京阪道路
近畿自動車道
第二阪奈道路
奈良県
伊勢自動車道
西名阪自動車道
阪和自動車道

京都府

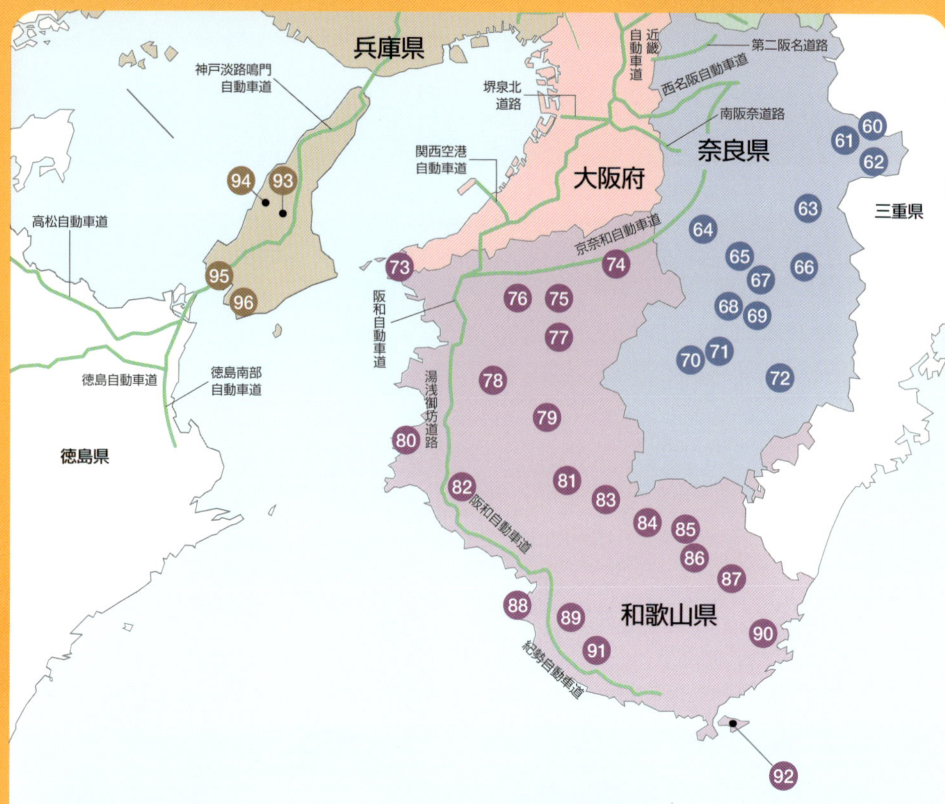
兵庫県
神戸淡路鳴門
自動車道
近畿自動車道
第二阪名道路
西名阪自動車道
堺泉北
道路
南阪奈道路
奈良県
関西空港
自動車道
大阪府
三重県
高松自動車道
京奈和自動車道
阪和自動車道
湯浅御坊道路
徳島自動車道
徳島南部
自動車道
徳島県
阪和自動車道
和歌山県
紀勢自動車道

Shiga Campsite

滋賀県

大河原温泉アウトドアヴィレッジ かもしかオートキャンプ場

●おおかわらおんせんあうとどあゔぃれっじかもしかおーときゃんぷじょう

HP FB Instagram

野州川ダム
野州川ダム管理事務所
若宮神社
ライダーハウス神戸
477
至菰野
9
至国道1号線

滋賀県甲賀市土山町大河原1104

予約受付 利用日の3カ月前から(利用当日の受付可)

TEL 0748-69-0352(9:00〜20:00)
FAX 0748-69-0370

利用期間 通年

in 13:00
out 11:00

新名神高速道路「甲賀土山」ICから 車で約20分

乗り入れ可能車種

普通車 キャンピングカー トレーラー

⬆A・Bサイトはペグが使える土サイト。山の眺望も抜群

手入れの行き届いた設備と徒歩圏の温泉で快適キャンプ

鈴鹿国定公園の豊かな自然を楽しみながら、隣接ホテルの天然温泉やレストランなどの快適な設備も利用できる、初心者やファミリーにおすすめのキャンプ場。2018年のオープンで、温水が出る炊事場をはじめ清掃の行き届いた設備、全区画AC電源付きで広めのサイトなどが好評。ドッグランがあり、愛犬連れキャンプも楽しめる。人工芝のごろ寝スペース付きのサイトやあずまや付きのサイトなど、少しリッチに過ごせる個性派サイトも。

CAMPING AREA

オートサイト	**21**区画(約10m×10m) ●AC電源付き 1泊4800円〜
サイトの状態	砂 **土** 芝生 その他
入場料	1泊**200**円(環境協力費)
駐車料	**無料**

その他 キャビン付きサイト10棟:1泊9000円〜

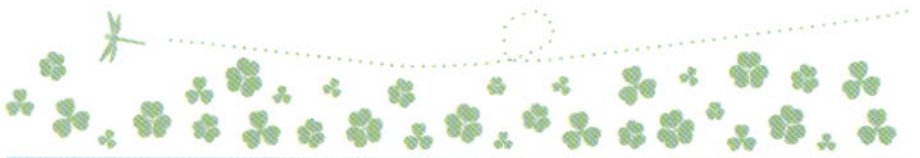

モデル料金 ㊅2㊛2 1泊 ➡ 約5600円(サイト利用料+環境協力費)

レンタル ガスコンロ&鉄板セット

近隣スポット&所要時間(車)

買い物 「道の駅 あいの土山」…約20分
「フレンドマート土山店」…約20分
「フレンドタウン日野」…約20分
遊び場 「甲賀の里忍術村」…約30分
病　院 「日野記念病院」…約20分

施設

利用条件

※犬・猫のみ可。キャビン内は不可

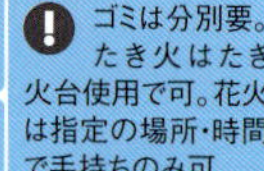

ゴミは分別要。たき火はたき火台使用で可。花火は指定の場所・時間で手持ちのみ可

携帯電話

au
docomo
SoftBank

※売店9:00〜21:00、飲食店11:00〜14:00(かもしか荘内)

⬆清潔なキャビンも人気が高い。中型テント付きの特別サイトは3世代キャンプにもおすすめ

⬆ハンモックなど子どもが喜びそうな設備も充実。2020年には手作りのミニジップラインが完成!

プレイSpot

キャンプ場の横には野洲川の源流が。夏は水遊びが楽しめるほかホタルが飛び交うことも。広大な敷地には24ホールを備えたグラウンドゴルフ場もあり、気軽に遊べる。

Memo

春～秋は開放感あふれるガーデンジャグジー（利用者無料）もオープン。水着着用必須なので持参を。

CHECK!

キャンプデビューや時間節約派はキャビンへ!

エアコンと小型冷蔵庫、屋根&テーブル付きのウッドデッキを備えたキャビンの利用も人気。テントや寝具の設置・撤収の手間が省けるので、初キャンプの人や遊び重視派は選択肢のひとつにしてみては。

⬅隣接する「かもしか荘」の温泉には露天風呂（大人500円・12歳未満250円）も

滋賀県

グリーンパーク山東

HP FB Instagram

●ぐりーんぱーくさんとう

至木之本 40 道の駅 伊吹の里 365 野一色東 セブンイレブン 509 北国脇往還 高番 19 三島池 248 ファミリーマート 東海道新幹線 村木 244 長岡 GS 北方 至国道21号線 大野木川 JR東海道本線 近江長岡

滋賀県米原市池下80-1

予約受付 利用日の3カ月前から(利用当日の受付可) ※webフォームで先行受付

TEL **0749-55-3751**(8:30～17:30)

問 FAX **0749-55-3785**

問 MAIL **info@greenpark-santo.com**

利用期間 通年

in 13:00

out 11:00

北陸自動車道

「米原」ICから

乗り入れ可能車種

⬆伊吹山を望む、水道とAC電源付きのオートサイト

伊吹山の懐に抱かれながらアクティブに過ごす1日

雄大な伊吹山を望む、緑いっぱいの自然公園。敷地内には、平坦で使いやすいオートサイトのほか、芝生や池のほとりのフリーサイトやコテージといった宿泊施設も点在している。アクティビティ施設も豊富でオムニのテニスコート2面や大型遊具、アスレチックコース、広々とした天然芝の広場などが隣接し、大人も子どもも思う存分楽しめる。自然保護区に指定されている真鴨の繁殖地・三島池もすぐ近く。

CAMPING AREA

オートサイト	**18**区画(約9.5m×15m) ●AC電源付き 1泊4400円～
サイトの状態	砂 土 芝生 その他
入場料	大人**440**円・小学生**220**円
駐車料	**無料**

その他 フリーサイト約150張:デイ利用1張2200円・1泊1張2200円～ ※デイ利用は9:00～15:00
コテージ5棟:1泊27500円～

モデル料金 ㊅2㊇2　1泊 ➡ 約5720円
※オートサイト利用の場合
(サイト利用料+入場料+テント設置料)

レンタル テント・タープ・寝袋・調理用具・BBQ用具ほか

近隣スポット＆所要時間(車)

買い物 「ファミリーマート」…約5分
「セブンイレブン」…約5分
「道の駅 伊吹の里 旬彩の森」…約10分

遊び場 「三島池」…すぐ(徒歩)

病　院 「長浜赤十字病院」…約30分

施設

管理棟 コテージ等 売店 飲食店 自販機 レンタル 炊事場 洗濯機 乾燥機 AC電源 シャワー 風呂 洋式水洗 和式水洗 公衆電話 夜間照明

利用条件

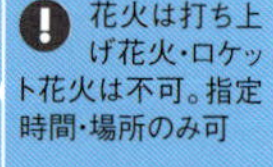

花火は打ち上げ花火・ロケット花火は不可。指定時間・場所のみ可

ペット ※リードでつなぎ、マナーを守ること。建物内は不可

携帯電話

au docomo SoftBank

※管理棟6:00～23:00、飲食店12:00～15:00(土日のみ)・17:00～20:00、風呂15:00～21:30(土日祝は13:00～)・風呂は大人600円(土日祝は700円)・2歳～小学生400円

プレイSpot

ジャングルジムやすべり台など小さな子どもも楽しめる遊具がそろう「天狗の丘」のほか、20のアトラクションからなる本格的なフィールドアスレチックも。

Memo

桜並木や紅葉のトンネルなど、四季折々の風景が楽しめる三島池。6月上旬～中旬にはホタル鑑賞も。

⬆全長約100mの「ドラゴンスライダー」は大人気のアクティビティ。風を感じながら一気にゴールまでたどり着こう

⬆三島池のほとりにある木立の中のフリーサイトは中級者におすすめ。お気に入りの場所を見つける楽しさも

➡専用カヌーとプライベートデッキを備えた、ウッドキャビン

CHECK!

グランピング施設でワンランク上の体験を

同敷地内にはグランピング施設「GLAMP ELEMENT」を併設。オープンデッキの2階建てヴィラ、別荘感覚でくつろげるウッドキャビンなど全18棟。1名23595円～。

滋賀県

家族旅行村 ビラデスト今津

●かぞくりょこうむらびらでですといまづ

HP FB Instagram

滋賀県高島市今津町深清水2405-1

予約受付 利用日の3カ月前から(利用当日の受付可)
※webフォームからも受付可(1日前まで)

TEL **0740-22-6868**(9:00〜17:00)

問 FAX **0740-22-6888** 問 MAIL **info@villagedest.com**

利用期間 4月1日〜11月30日

in 13:00 ※森の交流館・コテージ 14:00
out 12:00 ※森の交流館・コテージ 10:00

名神高速道路
「京都東」ICから

乗り入れ可能車種

普通車 キャンピングカー トレーラー

⬆琵琶湖に向けて飛び出すような感覚が味わえる「絶叫ブランコ」

標高550mの芝生の高原で バーベキューやスポーツを

赤坂山の山頂付近、標高550mの高原に広がる大規模アウトドア施設。琵琶湖を見下ろす眺望がすばらしい。オートサイトは芝生で、特にAC電源付きサイトは専用の屋根付き流し台に野外炉や常設テーブルを備えた至れり尽くせりの仕様。ほかに屋根付きのバーベキューサイトもあり、食材の注文もOKなので、手ぶらで気楽なデイキャンプにもぴったりだ。ファミリーコテージやプチホテル「森の交流館」などの宿泊施設もある。

CAMPING AREA

オートサイト **57**区画(約10m×15m・約5m×10m)
●AC電源付き:32区画
1泊4300円〜
●AC電源なし:25区画
1泊2150円〜
※デイ利用は2200円、
10:00〜17:00のうち4時間

サイトの状態 砂 土 芝生 その他

入場料 小学生以上**300**円

駐車料 **無料** ※入場料に含む

その他 コテージ10棟:1泊19000円〜
森の交流館15室:1泊1人7200円〜

モデル料金 大2 小2 1泊 ➡ 約3350円
※平日のAC電源なし
オートサイト利用の場合
(サイト利用料+入場料)

レンタル テント・寝袋・毛布・調理用具・BBQ用具・コンロ・テーブル&イス

近隣スポット&所要時間(車)

温泉 「マキノ高原温泉さらさ」…約30分
買い物 「ローソン」…約25分
スーパー「平和堂」…約25分
遊び場 「マキノピックランド」…約25分
病院 「マキノ病院」…約25分

施設

管理棟 コテージ等 売店 飲食店 自販機 レンタル 炊事場 洗濯機
乾燥機 AC電源 温水シャワー 風呂 洋式水洗 和式水洗 公衆電話 夜間照明

利用条件

デイキャンプ ゴミ捨て 直火 花火 ペット

ゴミは指定袋60円を購入。花火は指定場所のみ可。直火はAC付き野外炉のみ可

携帯電話

au docomo SoftBank

※受付・売店9:00〜17:00、風呂10:00〜21:00・3歳以上400円、シャワーは1回200円

⬆AC電源付きサイトは1区画100～150m^2とゆったりスペース。2区画にひとつの割合で水洗トイレもあり快適

⬆最大200名まで利用できる全天候型バーベキューサイト（予約要）。国産牛や焼野菜など食材と道具が付いたセットもある

プレイSpot

村内には、全3コース24ホールのグラウンドゴルフ場やパターゴルフ場のほか、芝生グラウンド、テニスコートといったスポーツ施設が充実している。

Memo

最大4台まで乗り入れ可能な400m^2ほどのグループサイトや、約250m^2の個別サイトはプライベート感満点。

CHECK!

初心者にはうれしいレンタルグッズが充実

テントやインナーマット、シュラフ、ランタンといった野外泊に必要なレンタル品が充実。コンロや調理器具、炊飯器などもそろい、炭や薪、着火剤の販売もあるので食材だけでBBQが楽しめる。

⬅車の乗り入れOKのハンモックサイトでくつろぐこともできる

滋賀県

マイアミ浜オートキャンプ場

●まいあみはまおーときゃんぷじょう

HP FB Instagram

湖西線 JR 道の駅 びわ湖大橋米プラザ 琵琶湖 559 ローソン 558 ローソン GS 堅田 琵琶湖大橋 ローソン 477 セブンイレブン GS GS 琵琶湖博物館 水生植物公園みずの森 26 11 さざなみ街道 42 道の駅 草津

滋賀県野洲市吉川3326-1

予約受付 利用日の3カ月前の1日から(利用当日の受付可) ※webフォームからも受付可

TEL 077-589-5725(9:00～17:00)
FAX 077-589-5730
MAIL auto-camp@maiami.info

利用期間 通年

in 14:00
out 12:00

名神高速道路
「栗東」ICから

乗り入れ可能車種

普通車 キャンピングカー トレーラー

⬆無料の温水シャワーや流し台まで備えたAサイト

アクセス良好で手ぶらもOK 滋賀ネイチャー体験の拠点に

琵琶湖大橋のそばにあり、大津～湖南地域や京都・大阪方面からのアクセスは抜群。広い琵琶湖と対岸の比良山系の雄大な眺めが心地いい。AC電源完備のオートサイトは設備とエリアでABCに分かれ、流しや温水シャワーを備えたAサイトは特に快適。キャンピングカー専用サイトもある。空調完備の各種キャビンもあり、キャンプ用品や調理用具、自転車などのレンタル、燃料や道具の販売も充実。手ぶらで訪れてもアウトドアが堪能できる。

CAMPING AREA

オートサイト 102区画(約10m×10m)
●AC電源付き
1泊3060円～
※季節やサイトにより料金は変動
※デイ利用は隣接のビワコマイアミランドへ

サイトの状態 砂 土 芝生 その他

入場料 無料 ※定員分までサイト利用料に含む

駐車料 無料(1サイト1台まで)

その他 カリフォルニアキャビン10棟:1泊6620円～
ヴィラマイアミ1棟:1泊9670円～
マイアミキャビン5棟:1泊8650円～
ビッグマイアミ1棟:1泊18330円～

モデル料金 ㊤2㊥2 1泊 ➡ 約5190円
※春秋の平日にAサイト利用の場合(サイト利用料)

レンタル テント・タープ・寝袋・毛布・調理用具・BBQ用具・コンロ・テーブル&イスなど

近隣スポット&所要時間(車)

温泉 「水春 守山店」…約10分
買い物 「ローソン」…約2分
「ピエリ守山」…約10分
遊び場 「琵琶湖博物館」…約15分
病院 「野洲病院」…約20分

施設
管理棟 コテージ等 売店 飲食店 自販機 レンタル 炊事場 洗濯機
乾燥機 AC電源 温水シャワー 風呂 洋式水洗 和式水洗 公衆電話 夜間照明

利用条件
デイキャンプ ゴミ捨て 直火 花火

ペット ※リードでつなぐこと

ゴミは分別要。花火は指定時間・場所のみ可。シャワーは5分200円

携帯電話
au
docomo
SoftBank

※管理棟9:00～17:00(繁忙期は24時間)、売店9:00～17:00(繁忙期は8:30～20:00)

⬆生け垣に囲まれてプライベート感たっぷりのBサイト。近くにはトカラヤギなどと触れ合える「マイアミ牧場」も

⬆5人用のヴィラマイアミ。ランタンや寝袋、テーブル&チェア、バーナーグリルや調理用具・食器などのキャンプ用品もセットに

プレイSpot

隣接のビワコマイアミランドではビーチバレーやテニス、グラウンドゴルフなどが楽しめる。初夏は花菖蒲が咲き誇るアイリスパーク、野鳥公園も近い。

Memo

佐川美術館や水生植物園みずの森、琵琶湖博物館なども車で30分圏内。琵琶湖観光の基地に最適。

CHECK!

本格スクールで基本を習い 琵琶湖でカヌーデビュー

遠浅のビーチを生かし、5～10月の日曜・祝日にはカヌー教室が開校（予約要、10歳以上、1名5500円、用具レンタルと保険料を含む）。基本レッスン＋湖上体験＋ミニツアーで湖上の休日を満喫しよう。

⬅キャンプ場に隣接するマイアミ浜が会場に

滋賀県

マキノ高原オートキャンプ場

HP FB Instagram

●まきのこうげんおーときゃんぷじょう

滋賀県高島市マキノ町牧野931

予約受付 3月1日から(利用日の1日前まで)

問 TEL **0740-27-0936**(8:30～17:00)
FAX **0740-27-0300**

利用期間 **通年** ※積雪期は林間サイトのみ

in 12:00～16:00 ※ハイシーズンは変更あり
out 12:00 ※ハイシーズンは変更あり

名神高速道路
「**京都東**」ICから

乗り入れ可能車種

⬆スキー場のゲレンデを利用した高原サイトは芝地で広々

広い芝生広場も涼しい林間も個性豊かなサイトがずらり

赤坂山麓の緑豊かな高原。テント350張の広さを誇る「高原サイト」をはじめ、川遊びに便利なサイトや展望のいいサイトなど、季節と天候に合わせて選べる6サイトを整備。駐車場からは遠いが、琵琶湖を一望するウッドデッキのサイトも。AC電源付きの炊事棟や水洗トイレ、温水シャワーなど設備も整い、ファミリーで気楽に利用できる。入浴は「マキノ高原温泉さらさ」へ。家族で遊べる混浴のバーデゾーンもあるので水着を忘れずに。

CAMPING AREA

オートサイト フリーサイト(約600台)
●AC電源なし
デイ利用1000円～・1泊4500円～
※AC電源は炊事場にて共用
※デイ利用は9:00～16:00

サイトの状態 砂 土 芝生 その他

入場料 大人**300**円・中学生以下**200**円
(デイ利用時のみ)

駐車料 **無料**

その他 なし

モデル料金 ㊅2㊓2 1泊 ➡ **約4500円**
※オートサイト利用の場合
(サイト利用料＋入場料)

レンタル テント・タープ・毛布・調理用具・BBQ用具・コンロ・テーブル&イス・ガスバーナー

近隣スポット＆所要時間(車)

買い物 スーパー「平和堂」…約20分
「道の駅 マキノ追坂峠」…約20分
遊び場 「マキノサニービーチ」…約20分
病　院 「マキノピックランド」…約10分
「マキノ病院」…約10分

※管理棟8:00～17:00(繁忙期は24時間)、売店9:00～17:00、飲食店(さらさ内)11:00～19:30、風呂(さらさ)10:00～20:30(時間変更・休業日あり)

プレイSpot

敷地内の川で水遊びできるほか、グラウンド・ゴルフ場やテニスコートも完備。ファミリーには車で約15分のマキノピックランドで果物狩りもおすすめ。

Memo

ソメイヨシノと八重桜が約1000本植えられ、春は花見の穴場に。4月一杯は花見キャンプが楽しみ。

⬆テント20張のこぢんまりとした川サイトは、木立に囲まれた涼しく静かな環境が魅力。夏は林間サイトに次ぐ人気を誇る

⬆テント100張が設置可能な林間サイト。すぐ隣を流れるヨキトギ川で水遊びや魚つかみができ、夏の一番人気

➡山野草の宝庫として知られる赤坂山への登山口も

CHECK!

ガイドに教わって トレッキング入門

古道や古い山道を整備した「中央分水嶺・高島トレイル」に近く、秋を中心にトレッキングイベントや森林セラピー、登山学校などのイベントを開催。ガイドが一緒なので初心者も不安なく参加できる。

マキノサニービーチ 知内浜オートキャンプ場

湖畔

HP FB Instagram

●まきのさにーびーちちないはまおーときゃんぷじょう

滋賀県高島市マキノ町知内2010-1

予約受付 1月第1土曜から(利用当日の受付可)

TEL 0740-27-0325(8:00～17:00 ※10～3月は9:00～)

問 FAX 0740-27-1589

問 MAIL otoiawase@chinaihama.com

利用期間 通年 ※4～9月を除く木曜・年末年始休

in 13:00
out 12:00

北陸自動車道
「木ノ本」ICから

乗り入れ可能車種

普通車 キャンピングカー トレーラー

⬆レイクビューが存分に楽しめる北浜サイト

ちびっこもペットも一緒に家族みんなで湖畔キャンピング

琵琶湖内でも特に水の透明度が高いことで知られる、知内浜一帯に広がる大規模キャンプ場。白砂と松林が続く浜辺や林間サイトのほか、場内を流れる知内川沿いのフリーサイトもあるので目的や季節にあわせて選びたい。湖水浴やカヌー、釣りなどが楽しめるのはもちろん、浜辺から眺める日の出や夕暮れどきの景色が美しいと評判。ペット連れにはうれしい設備が充実していて、ドッグランや専用シャワー・ドライヤーを完備。

CAMPING AREA

オートサイト **150**区画(約8m×10m)+**フリーサイト**(約50台)
●AC電源付き:10区画
デイ利用5900円・1泊8000円
●AC電源共用:143区画+フリーサイト(約50台)
デイ利用3800円～・1泊5900円～
※デイ利用は8:00～17:00

サイトの状態 砂 土 芝生 その他

入場料 **100**円(ゴミ協力金)

駐車料 **無料**(1台目まで。2台目から普通車1台デイ利用1000円・1泊1500円)

その他 なし

モデル料金 大2 小2 1泊 ➡ 約6000円
※AC電源なしオートサイト利用の場合(サイト利用料+駐車料+ゴミ協力金)

レンタル テント・タープ・コンロ・テーブル&イス ほか

近隣スポット&所要時間(車)

温泉 「マキノ高原温泉さらさ」…約13分
買い物 「ファミリーマート」…約3分
スーパー「平和堂」…約10分
遊び場 「マキノピックランド」…約10分
病院 「マキノ病院」…約5分

施設

管理棟 コテージ等 売店 飲食店 自販機 レンタル 炊事場 洗濯機 乾燥機 AC電源 温水シャワー 風呂 洋式水洗 和式トイレ 公衆電話 夜間照明

利用条件

デイキャンプ ゴミ捨て 直火 花火

ペット ※リードでつなぐこと

ゴミは分別要。花火は手持ちのみ可、21:00まで。シャワーは3分300円

携帯電話

au docomo SoftBank

※管理棟・売店8:00～17:00(10～3月は9:00～17:00)

⬆松林から浜辺まで広がる区画型オートサイト。木々が日光を遮り、夏でも涼しく過ごせる

⬆期間限定で開催される、南浜エリアでのニジマスのつかみ取り体験。とった魚は塩焼きにして食べることもできる

プレイSpot

旬の果物狩りやオリジナルジェラート、地元の野菜販売が人気のマキノピックランドは車で約10分。春なら滋賀県屈指の桜の名所・海津大崎も訪れてみたい。

Memo

広大なキャンプ場内を移動するには、無料で借りられるレンタサイクル（場内限定）が便利。

CHECK!

個性的なイベントが期間限定でスタンバイ!

GWやお盆期間中には、魚つかみやカヌー教室、竹パン作り体験など多彩なイベントを開催。中でもニジマスを捕らえて味わう魚つかみ体験は、子どもたちに人気の恒例イベント。

⬅琵琶湖に浮かぶ竹生島を望む絶好のロケーション

信楽キャンプ 北欧ハウス

●しがらききゃんぷほくおうはうす

HP FB Instagram

新名神高速道路「信楽」ICから

乗り入れ可能車種

普通車　キャンピングカー　トレーラー

滋賀県甲賀市信楽町黄瀬2345-1

予約受付 3カ月前の1日から(3月利用分は2月1日から)
※予約はwebフォームからのみ(利用日の1日前まで)

問 TEL **070-8368-8241**(9:00～18:00)

問 MAIL **contact@shigaraki.camp**

利用期間 3月1日～12月31日

in 13:00 ※カジュアルグランピング 15:00
out 11:00

⬆電源は管理棟に。食料やキャンプ用品もここで買える

清潔な施設と親切な対応がキャンプ初心者からも好評

2020年9月オープンのキャンプ場で、信楽ICより車で5分ほどという好アクセス。全てのサイトが管理棟から徒歩3分圏内にあり、初心者にはスタッフが設営の仕方から薪の割り方まで丁寧にレクチャーしてくれるので安心のキャンプデビューができる。雨の日も無料レンタルのボードゲームや屋内キッズルームで遊べるので退屈とは無縁。北欧風テントで手軽に楽しめるカジュアルグランピングサイトも人気だ。

CAMPING AREA

オートサイト	**14**区画(約10m×10m) ●AC電源なし 1泊5000円～
サイトの状態	砂　土　芝生　その他
入場料	大人**500**円・小学生**300**円(5人目から)
駐車料	**無料** ※区画外駐車の場合は普通車1台1泊1000円
モデル料金	㊅2 ㊈2　1泊 ➡ 約**5000**円
その他	カジュアルグランピング(ベルテント)7棟:25000円～

➡信楽焼のジャグジー風呂に入り放題のオプションも。木々の眺めが心地良い

近隣スポット＆所要時間(車)

- 買い物 「ファミリーマート」…約3分
  スーパー「フレンドマート」…約12分
- 遊び場 「隼人川みずべ公園」…約3分
  「滋賀サファリ博物館」…約4分
- 病　院 「紫香楽病院」…約4分

※管理棟・売店9:00～18:00(日により22:00まで)　※レンタルは寝袋・調理器具・テーブル&イスが可

大見いこいの広場

山間

HP FB Instagram

●おおみいこいのひろば

滋賀県長浜市木之本町大見678

予約受付 利用日の5カ月前から（利用日の午前中まで）

問 TEL 0749-82-2500（8:30～17:30）
FAX 0749-82-2900

利用期間 通年 ※積雪状況により休業あり

in 13:00 ※コテージ・ヴィラ 15:00
out 12:00 ※コテージ・ヴィラ 10:00

365 北陸自動車道 JR北陸本線 木ノ本 木之本 木之本IC 8 北国街道 浄信寺 中河内木之本線 285 303 GS 281 木之本大橋

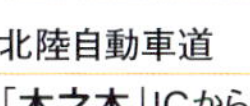
北陸自動車道
「木之本」ICから

車で約15分

乗り入れ可能車種

普通車 キャンピングカー トレーラー

充実レンタルで 本格アウトドア料理にトライ

大人数で泊まれる山小屋風のコテージや一棟貸しのヴィラといった、宿泊施設を備えた場内。オートサイトは、トイレ・コインシャワー・共同炊事場が隣接。横を流れる清流・高時川での川遊びはもちろん、すべり台やジャングルジムなど、子どもたちが大喜びの遊べるスポットもいっぱい。スモーカーやダッチオーブンなどのレンタルグッズが充実しているので、こだわりの野外料理にチャレンジしてみては。

⬆川のすぐそばに面したオートサイト

⬅緑に囲まれたフリーサイトの中央には、たき火などができるファイアーサークルがある

近隣スポット＆所要時間（車）

温　泉 「北近江リゾート」…約15分
買い物 スーパー「平和堂」…約15分
遊び場 「高時川」…約1分（徒歩）
「余呉湖」…約13分
病　院 「湖北病院」…約15分

CAMPING AREA

オートサイト	28区画（約10m×10m） ●AC電源付き 1泊5500円～
サイトの状態	砂 土 芝生 その他
入場料	無料
駐車料	無料
モデル料金	㊅2㊇2　1泊 ➡ 約5500円
その他	テントサイト約10張:・1泊1張2200円～ コテージ8室:1泊7700円～ ヴィラ10棟:1泊20400円～

携帯電話 利用条件 施設

au docomo SoftBank

デイキャンプ ゴミ捨て 直火 花火 ペット

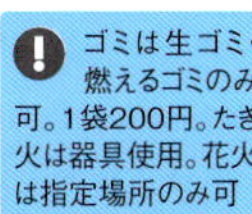
ゴミは生ゴミ・燃えるゴミのみ可。1袋200円。たき火は器具使用。花火は指定場所のみ可

管理棟 コテージ等 売店 飲食店 自販機 レンタル 炊事場 洗濯機 乾燥機 AC電源 温水シャワー 風呂 洋式水洗 和式水洗 公衆電話 夜間照明

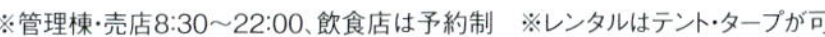
※管理棟・売店8:30～22:00、飲食店は予約制　※レンタルはテント・タープが可

奥琵琶湖キャンプ場

林間

●おくびわこきゃんぷじょう

HP FB Instagram

北淡海・丸子船の館
大浦
永原
大浦街道
JR湖西線
奥琵琶湖パークウェイ
二本松水泳場
琵琶湖

北陸自動車道「木之本」ICから 車で約20分

滋賀県長浜市西浅井町大浦1796

予約受付 利用日の3カ月前から(利用当日の受付可)
※webフォームからも受付可(1日前まで)

TEL **0749-89-0121** (8:00〜17:00)

利用期間 通年

in 12:00
out 11:00

乗り入れ可能車種

普通車

キャンピングカー

トレーラー

⬆ペットOKで、のびのび過ごせるノーリードサイトがある

ペット連れも快適に過ごせる選択肢が多彩な林間サイト

クヌギ、クリ、ホオノキなどの林に囲まれ、広大なキャンプサイトが広がる。オートサイトは段差で区切られており、プライベート感満点。グループ用〜団体用まで様々な広さがあり、人数に応じて選べる。ペットの同伴もOKで、広いドッグランのほか、2012年にはリードなしで放せる専用サイトもオープンした。ほかに常設テントやバンガロー、コテージ、貸別荘と選択肢は幅広い。野生のサルやシカとの出合いも良い思い出に。

CAMPING AREA

オートサイト	**50**区画(約8m×8m) ●AC電源付き:8区画 1泊1000円〜 ●AC電源なし:42区画 デイ利用500円〜・1泊1000円〜 ※別途持ち込みテント・タープ1張1000円 ※デイ利用はGW・お盆・連休を除く12:00〜日没
サイトの状態	砂 土 芝生 その他
入場料	大人**1000**円・小中学生**600**円
駐車料	普通車**1000**円
モデル料金	㊅2㊆2 1泊 ➡ 約**6200**円 ※AC電源なしサイト利用の場合
その他	バンガロー・ログハウス・貸別荘ほか:1泊8000円〜

➡手ぶら派はエアコン付きで快適なバンガローへ。冬期は薪ストーブのレンタルも

近隣スポット&所要時間(車)

- 温泉 「マキノ高原温泉さらさ」など…約20分
- 買い物 「セブンイレブン」…約10分
  スーパー「平和堂」…約20分
- 遊び場 「マキノピックランド」…約20分
- 病院 「マキノ病院」…約25分

施設

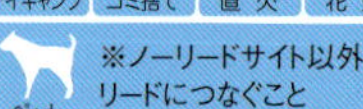

管理棟 コテージ等 売店 飲食店 自販機 レンタル 炊事場 洗濯機 乾燥機 AC電源 シャワー 風呂 洋式水洗 和式トイレ 公衆電話 夜間照明

利用条件

デイキャンプ ゴミ捨て 直火 花火 ペット

ゴミは分別要。花火は手持ちのみ可、21:00まで

※ノーリードサイト以外はリードにつなぐこと

携帯電話

au docomo SoftBank

※管理棟8:00〜17:00 ※レンタルはテント・タープ・寝袋・毛布・調理用具・BBQ用具・コンロ・テーブル&イス・キャンプ用具一式・釣り道具が可

朽木オートキャンプ場

川辺

HP FB Instagram

●くつきおーときゃんぷじょう

滋賀県高島市朽木柏

予約受付 利用月の3カ月前から
※予約はwebフォームからのみ(利用日の1日前まで)

問 TEL **0740-38-2770**(グリーンパーク想い出の森 8:30〜20:00)

利用期間 4月1日〜11月30日

in 15:00
out 12:00

名神高速道路
「京都東」ICから

車で約50分

乗り入れ可能車種

普通車

キャンピングカー

トレーラー

歴史と自然豊かな山村 地元ならではの施設も近い

比良山系の西麓にあり、すぐ脇を流れる清流・安曇川(あどがわ)と周囲の山々の景観が美しい。サイトは全てオートサイトで、59区画のうち22区画はAC電源と水道が備えられている。どのサイトも日当たり抜群なので、暑い時期はタープやテントを忘れずに。丸太で作られたミニアスレチックがある「グリーンパーク想い出の森」や地場産品がそろう道の駅「くつき新本陣」も近く、「宝牧場」や「くつき温泉てんくう」も車で約3分と便利な立地だ。

⬆サイトは6つのエリアに分かれ、全てオートサイト

⬅管理棟には、シャワーやランドリーを設置しているから、思いきり遊んでも安心

近隣スポット&所要時間(車)

温泉 「くつき温泉てんくう」…約3分
買い物 スーパー「ダイキン」「カネハチ」…3分
「ローソン」「道の駅 くつき新本陣」…3分
遊び場 「グリーンパーク想い出の森」…約3分
病院 「高島市民病院」…約30分

CAMPING AREA

オートサイト	**59**区画(約8m×8m〜8m×10m) ●AC電源付き:22区画 1泊5000円〜+美化協力金 ●AC電源なし:37区画 1泊3000円〜+美化協力金
サイトの状態	砂 土 芝生 その他
入場料	1区画**600**円(美化協力金)
駐車料	**無料**(1サイト1台まで)
モデル料金	大2 小2 1泊 ➡ 約**4600**円〜 ※AC電源なしサイト利用の場合
その他	なし

携帯電話
au
docomo
SoftBank

利用条件

デイキャンプ

ゴミ捨て

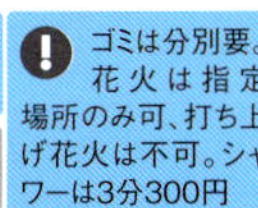
直火

花火

ペット

ゴミは分別要。花火は指定場所のみ可、打ち上げ花火は不可。シャワーは3分300円

施設

管理棟 コテージ等 売店 飲食店 自販機 レンタル 炊事場 洗濯機
乾燥機 AC電源 温水シャワー 風呂 洋式水洗 和式水洗 公衆電話 夜間照明

※管理棟9:00〜17:00(土日祝のみ) ※レンタルはテント・調理用具・BBQ用具・たき火台・コンロ・テーブル&イスが可

グリム冒険の森

HP FB Instagram

●ぐりむぼうけんのもり

西大路
ブルーメの丘
182
西明寺水口線
音羽
←至国道307号線
近江ヒルズゴルフ倶楽部
477
平子神社
日野川
至土山↓

滋賀県蒲生郡日野町熊野431

予約受付 **利用日の6カ月前の1日から(利用当日の受付可)**

問 **TEL 0748-53-0809**(8:30〜17:00)
FAX 0748-53-1552

利用期間 **通年**

in 13:00
out 11:00 ※コテージ 〜10:00

名神高速道路
「八日市」ICから

乗り入れ可能車種

普通車 キャンピングカー トレーラー

⬆緑豊かなオートサイト。ペット専用サイトもある

豊かな自然の森を利用したイベントや遊び場がいっぱい

鈴鹿山系の西麓に広がるグリム童話と冒険をテーマにした施設。約100m^{2}の広々とした区画サイト39区画と約60組分のフリーサイトがあり、どちらも手入れのいい芝地。サイト内でバーベキューもできる。隣接するブレーメンの森では、ユニークな遊具や多目的広場が子どもに大人気。バウムクーヘン作りやドラム缶風呂、そうめん流し、草木染め体験など自然を生かしたイベントや体験教室なども数多く用意されている。

CAMPING AREA

オートサイト	**39**区画(約10m×10m)+**フリーサイト**(約60台) ●AC電源付き:8区画 デイ利用1時間600円〜・1泊4900円〜 ●AC電源なし:31区画 デイ利用600円・1泊4200円〜 ●AC電源なし:フリーサイト(約60台) デイ利用3500円・1泊3600円〜 ※デイ利用は9:00〜17:00
サイトの状態	砂 土 芝生 その他
入場料	**無料** 駐車料 **無料**
モデル料金	大2 小2 1泊 ➡ 約**3600**円 ※AC電源なしサイト利用の場合
その他	コテージ6棟:1泊12600円〜

➡グリム童話をイメージした大型遊具レオパーク。園内には本格的MTBコースも整備

近隣スポット&所要時間(車)

- 温泉 「甲賀温泉やっぽんぽんの湯」…約20分
- 買い物 スーパー「フレンドマート」…約15分
- 遊び場 「ブルーメの丘」…約10分
- 病院 「日野記念病院」…約15分

施設

利用条件

ゴミは分別要。花火は指定場所で手持ち花火のみ可。シャワーは1ブース15分400円

携帯電話

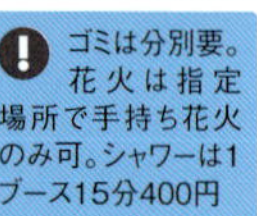

※管理棟8:30〜17:00、売店8:00〜21:00、飲食店11:00〜15:00 ※レンタルはテント・タープ・寝袋・毛布・調理用具・BBQ用具・コンロ・マウンテンバイクなどが可

SHIRAHIGE BEACH（白ひげビーチ）

●しらひげびーち

HP FB Instagram

滋賀県高島市鵜川

予約受付 随時（利用日の2日前まで）

問 TEL **0740-36-1248**（8:00〜17:00）
FAX **0740-36-1248**

利用期間 通年

in 14:00
out 11:00

名神高速道路「京都東」ICから

乗り入れ可能車種

普通車 キャンピングカー トレーラー

透き通る湖と白い砂浜が続く豊かな自然に囲まれたビーチ

湖中に立つ鳥居が有名な白鬚神社のほど近くにあり、雄大な山々と琵琶湖を望むロケーションが魅力的。遊泳スペースの近くまで乗り入れられるオートサイトに加えて、専用のBBQスペース付きバンガローでの宿泊もできる。琵琶湖屈指の水質を誇る白ひげビーチでは、大きな波やクラゲの心配をすることなく水遊びを満喫。SUPやカヌー、フライボードといった人気のレイクアクティビティも楽しめるので、思う存分遊び尽くしたい。

⬆約400mにわたって続く、白い砂浜と松林が美しい

⬅バンガローには専用BBQスペース（予約要）もあり、初心者も気軽に楽しめる

近隣スポット＆所要時間（車）

- 買い物 「うかわファームマート」…約5分
  「道の駅 藤樹の里あどがわ」…約10分
- 遊び場 「高島びれっじ」…約5分
  「びわ湖こどもの国」…約15分
- 病　院 「高島市民病院」…約3分

CAMPING AREA

オートサイト	フリーサイト（約120台） ●AC電源なし デイ利用1500円・1泊3000円 ※デイ利用は8:00〜17:00
サイトの状態	**砂** 土 芝生 その他
入場料	小学生以上**500**円
駐車料	普通車 デイ利用**1000**円・1泊**1500**円
モデル料金	㊄2 ㊕2 1泊 ➡ 約**6500**円
その他	バンガロー12棟:1泊1棟12000円〜

携帯電話	利用条件	施設
au docomo SoftBank	デイキャンプ ゴミ捨て 直火 花火 ペット ※リードでつなぎマナーを守ること 花火は手持ちのみ可、22:00まで。温水シャワーは無料	管理棟 コテージ等 売店 飲食店 自販機 レンタル 炊事場 洗濯機 乾燥機 AC電源 シャワー 風呂 洋式水洗 和式水洗 公衆電話 夜間照明

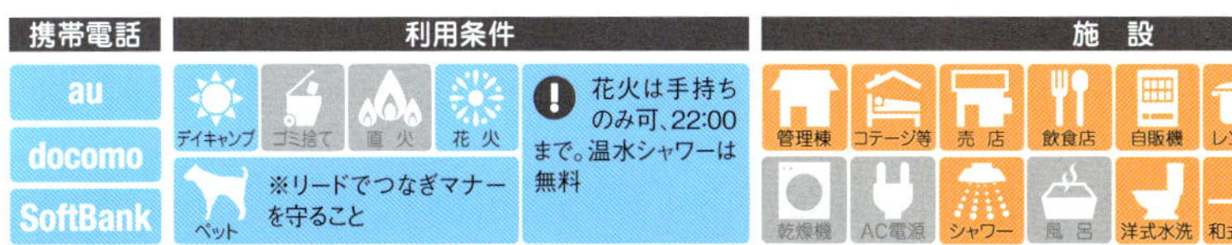

※管理棟8:00〜17:00（宿泊があれば24時間）、売店8:00〜17:00、飲食店（GW・夏休み期間のみ）9:30〜17:00　※レンタルはコンロが可

Gulliver Village（ガリバー青少年旅行村）

●がりばーゔぃれっじ

HP FB Instagram

滋賀県高島市鹿ケ瀬987-1

予約受付 3月1日から
※予約はwebフォームからのみ

問 TEL 0740-37-0744（9:00〜17:00）
問 FAX 0740-37-0747

利用期間 4月1日〜11月30日

in 14:00
out 11:00 ※コテージ・バンガロー・ロッジ・キャビン 10:00

名神高速道路
「京都東」ICから

乗り入れ可能車種

普通車

キャンピングカー

トレーラー

⬆管理棟の「ガリバーハウス」。トイレ・シャワーはここで

比良山麓のおとぎの国で親子いっしょに不思議体験

「ガリバー旅行記」をモチーフにしたレクリエーション公園。広大な自然の中、オートサイト18区画や常設テントのほか、ロッジやコテージなど多彩な宿泊設備がそろう。バンガローは小人の家を模した愛らしいデザイン。ファミリーには、体を使って遊べる遊具が満載の「遊戯の国」などのプレイエリアも人気。また手ぶらでグランピング気分が楽しめるプランもおすすめだ。屋根付バーベキューサイトもあるので晴雨問わず利用できる。

CAMPING AREA

オートサイト	18区画（約10m×7m） ●AC電源付き デイ利用2700円〜・1泊5400円〜 ※デイ利用は9:00〜16:00
サイトの状態	砂 **土** 芝生 その他
入場料	4歳以上**400**円（入村料）
駐車料	**無料**
モデル料金	大2 小2　1泊 ➡ 約**7000**円
その他	区画サイト5区画:1泊2200円 バンガロー12棟:1泊15000円〜 ほか

➡「手ぶらCAMP」プランはてんとう虫柄のテントなど、道具一式のレンタルがセットに

近隣スポット＆所要時間（車）

買い物 「ローソン」…約15分
遊び場 「八ツ淵の滝」…約30分（登山道）
「高島びれっじ」…約15分
「大溝城跡」…約15分
病　院 「高島市民病院」…約15分

施設：管理棟　コテージ等　売店　飲食店　自販機　レンタル　炊事場　洗濯機　乾燥機　AC電源　温水シャワー　風呂　洋式水洗　和式トイレ　公衆電話　夜間照明

利用条件：デイキャンプ　ゴミ捨て　直火　花火　ペット

ゴミは指定袋を購入。シャワー4分100円。コインランドリー1回200円

携帯電話：au　docomo　SoftBank

※管理棟24時間、売店9:00〜17:00、飲食店11:00〜15:00　※レンタルはテント・タープ・寝袋・毛布・調理用具・BBQ用具などが可

滝と渓流の高山キャンプ場

HP FB Instagram

●たきとけいりゅうのたかやまきゃんぷじょう

滋賀県長浜市高山町2324

予約受付 3月中旬から(利用当日の受付可)

問 TEL 0749-76-0076(8:30〜17:00)
FAX 0749-76-0176

利用期間 4月1日〜11月30日

in 14:00
out 11:00

北陸自動車道「長浜」ICから

乗り入れ可能車種

普通車 キャンピングカー トレーラー

大自然がフィールド 静かな山間でアウトドア三昧

東俣谷川と西俣谷川に囲まれたのどかな山里にあり、目の前には標高1317mの金糞岳(かなくそだけ)がそびえる。全面芝生の林間サイトとAC電源完備のオートサイトのほか、バス・トイレ・キッチン・冷暖房を完備したバンガローもある。どのサイトからも炊事場などの各施設に行きやすく、清潔で利用しやすい。川遊びのほか、2つの滝が並ぶ夫婦滝、金糞岳など絶好のハイキングスポットも多く、大自然を心ゆくまで堪能できる。

⬆芝生の緑が美しいオートサイト。全てAC電源付き

⬅屋根付きBBQガーデンが備えられ、グループに人気の山小屋風バンガローは全8棟

近隣スポット & 所要時間(車)

風呂 「健康パークあざい」…約10分
買い物 スーパー「フレンドマート」…約20分
「セブンイレブン」…約20分
病院 「あざいリハビリテーションクリニック」…約10分

CAMPING AREA

オートサイト	15区画(約10m×10m) ●AC電源付き デイ利用1時間900円〜(上限4500円まで)・1泊4500円〜 ※ハイシーズンは5000円 ※デイ利用は10:00〜16:00 ただし宿泊者優先
サイトの状態	砂 土 **芝生** その他
入場料	小学生以上300円(林間サイトのみ)
駐車料	無料
モデル料金	大2 小2 1泊 ➡ 約4500円
その他	林間サイト13区画:1泊1500円 ※ハイシーズンは2000円 バンガロー8棟:1泊12000円〜

施設: 管理棟 コテージ等 売店 飲食店 自販機 レンタル 炊事場 洗濯機 乾燥機 AC電源 温水シャワー 風呂 洋式水洗 和式水洗 公衆電話 夜間照明

※管理棟8:30〜17:00(宿泊があれば7:00〜21:00) ※レンタルは調理用具・BBQ用具(BBQコンロを除く)が可

滋賀県

白浜荘 オートキャンプ場

HP FB Instagram

●しらはまそうおーときゃんぷじょう

滋賀県高島市安曇川町下小川2300-1

予約受付 随時 ※予約はwebフォームからのみ（利用日の9:00まで）

問 TEL **0740-32-4333**（10:00～17:00）

問 FAX **0740-32-0411**

問 MAIL **campquestion@shirahamaso.co.jp**

利用期間 通年

in 13:00（1500円追加で10:00より入場可） ※ロッジ・バンガローは15:00

out 12:00 ※ロッジ・バンガロー 10:00

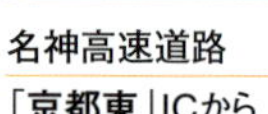

乗り入れ可能車種

琵琶湖有数の美しい景色の中 快適リゾートキャンプを

琵琶湖畔リゾート「白浜荘」に併設され、サイトのある近江白浜は日本渚100選にあげられる景勝地。約11.5m×6.5mのオートサイトが145区画あり、湖畔区画は湖までわずか3歩。松林のある区画はハンモックも使える。ロフト付きバンガローやロッジはファミリーに人気。7月初旬～8月下旬には近江白浜水泳場がオープンし、湖水浴・水遊びを満喫できる。併設旅館ではテニスコートやボルダリング・体育館などが利用でき、リゾート気分が味わえる。

⬆湖畔に広がる、開放的なオートサイト

CAMPING AREA

オートサイト	**150**区画（約11.5m×6.5m） ●AC電源付き:50区画 1泊 6000円～ ●AC電源なし:100区画 5000円～ ※ソロ区画は2500円～ ※デイ利用は10:00～16:00、要予約
サイトの状態	砂 土 芝生 その他
入場料	**無料**
駐車料	**無料**（サイト内2台まで） ※区画外駐車場は普通車1泊2000円・バイク600円
モデル料金	大2 小2 1泊 ➡ 約**5000**円～ ※AC電源なしサイト利用の場合
その他	バンガロー1棟:1泊22000円～ ほか

➡SUPやカヤックの持込が可能（7月初旬～8月下旬を除く）。朝日を浴びながら楽しめる

近隣スポット＆所要時間（車）

買い物 「ローソン」…約5分
「道の駅 藤樹の里あどがわ」…約5分

遊び場 「びわ湖こどもの国」…約5分

病院 「高島市民病院」…約5分

施設

利用条件

ペット ※犬・猫可。リードをつけること

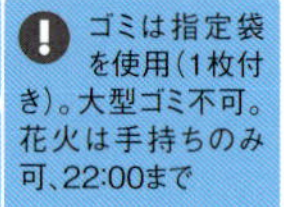

携帯電話

au docomo SoftBank

※管理棟・売店10:00～17:00、風呂13:00～21:00（最終受付20:30）、大人600円・0歳～小学生400円 ※キャンピングカー・トレーラーは6mまで ※Wi-Fi利用可

ビワコマリンスポーツオートキャンプ場

HP FB Instagram

●びわこまりんすぽーつおーときゃんぷじょう

滋賀県高島市安曇川町下小川近江白浜水泳場内

予約受付 随時(利用当日の受付可)

TEL **090-6057-4304**(8:00～20:00)
FAX **0740-32-3777**

利用期間 通年

in 10:00
out 11:00

名神高速道路
「**京都東**」ICから

乗り入れ可能車種

普通車

キャンピングカー

トレーラー

静かな琵琶湖畔ステイで充実のマリンスポーツ三昧

琵琶湖の北西部に位置し、目の前は琵琶湖屈指の水質を誇る湖水浴場と、白砂青松の美しい岸辺。カヤックやウインドサーフィン、SUPなどに気軽に挑戦できる、スクール付きメニューやレンタルがそろっている。一番人気は、カヤックやSUPで訪れる鴨川ツーリング。周囲は野鳥の宝庫で、時にはカワセミの姿も見られる。車が乗り入れできる浜辺のサイトのほか、寝具や冷蔵庫付きのコテージもある。

⬆松の木陰にあるオートサイトは湖が目の前

⬅土日祝や夏休み中は、インストラクター同行のカヤック・SUPクルージングが開催される

近隣スポット＆所要時間(車)

- 温泉 「比良とぴあ」…約20分
- 買い物 「うかわファームマート」…約15分
  「道の駅 藤樹の里あどがわ」…約10分
- 遊び場 「びわ湖こどもの国」…約10分
- 病院 「高島市民病院」約8分

CAMPING AREA

オートサイト	**55**区画(約8m×20m) ●AC電源付き:5区画 ●AC電源なし:50区画 デイ利用は入場料＋駐車料 1泊は駐車料＋テント・タープ1張1500円～ ※2人用以上のテントは1張2500円 ※デイ利用は10:00～19:00
サイトの状態	砂 土 芝生 その他
入場料	大人**300**円・3～5歳**150**円
駐車料	普通車1日**1000**円
モデル料金	大2 小2 1泊 ➡ 約**5700**円
その他	コテージ8棟:1泊20000円

携帯電話

au
docomo
SoftBank

利用条件

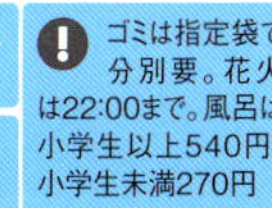

施設

※管理棟・風呂10:00～22:00、売店10:00～17:00(土日とお盆は22:00まで)、飲食店10:30～17:00(土曜とお盆は22:00まで) ※レンタルはテント・毛布・調理器具・BBQ用具などが可

滋賀県

マキノサニービーチ 高木浜オートキャンプ場

湖畔

HP FB Instagram

●まきのさにーびーちたかぎはまおーときゃんぷじょう

滋賀県高島市マキノ町西浜763-1

予約受付 2月1日から(利用当日の受付可)
※FAXでも受付可

TEL 0740-28-1206(9:00〜17:00)
FAX 0740-28-1441

利用期間 3月1日〜12月31日 ※不定休

in 13:00
out 12:00

名神高速道路「京都東」ICから 車で約70分

乗り入れ可能車種

普通車 キャンピングカー トレーラー

⬆琵琶湖八景に数えられる竹生島と海津大崎を望むビーチ

リゾートムードたっぷりの白砂青松のロングビーチ

琵琶湖を一望する展望台を備えた「湖のテラス」やレストラン、デッキテラスなどが並ぶ場内は、リゾートムード満点のしゃれた雰囲気。ビーチは、水がきれいな奥琵琶湖のなかでもトップクラスの水質を誇る。青い湖と山々が見渡せる開放的な浜辺サイト、波音を聞きながら白砂青松の内でゆったりと過ごせるファミリーサイトのほか、大型車対応のキャンピングカーサイトなど、人数や用途に応じて好みのサイトを選ぼう。

CAMPING AREA

オートサイト	**73**区画(約6m×11m) デイ利用3900円・1泊6100円 ※AC電源使用は別途1900円 ※デイ利用は9:30〜16:30
サイトの状態	砂 **土** **芝生** その他
入場料	**100**円
駐車料	普通車 デイ利用**1300**円・1泊**1900**円
モデル料金	㊅2㊈2 1泊 ➡ 約**8400**円〜 ※AC電源なしサイト利用の場合
その他	バンガロー5棟:9800円〜

➡遠浅の浜が約1kmも続くロケーションが魅力。水泳、釣り、カヌーを楽しむにはぴったり

近隣スポット&所要時間(車)

温泉 「マキノ高原温泉さらさ」…約10分
買い物 「ファミリーマート」…約3分(徒歩)
スーパー「平和堂」…約10分
遊び場 「マキノピックランド」…約8分
病院 「マキノ病院」…約7分

※管理棟9:00〜17:00、飲食店9:00〜17:00 ※レンタルはテント・タープ・毛布・調理用具・BBQ用具・コンロ・テーブル&イスが可

六ツ矢崎浜オートキャンプ場

●むつやざきはまおーときゃんぷじょう

HP FB Instagram

名神高速道路「京都東」ICから 車で約70分

乗り入れ可能車種

普通車　キャンピングカー　トレーラー

滋賀県高島市新旭町深溝六ツ矢崎浜地先

予約受付 随時 ※予約はwebフォームからのみ（利用日の2日前まで）

問 TEL **0740-33-7101**（8:30〜17:00）

問 FAX **0740-33-7105**

問 MAIL **mutsuyazaki-camp@takashima-kanko.jp**

利用期間 通年 ※年末年始休

in 12:00〜17:00

out 15:00 ※GW・3連休の中日など混雑時は12:00

湖畔の開放感にひたって のびのび家族みんなの休日

びわ湖高島観光協会が運営。琵琶湖畔に広がる全長約450mのフリーサイトで、特に湖側は木々も少なく開放感満点。好ロケーションでのバーベキューは格別だ。近くには大型遊具が充実する「びわ湖こどもの国」があり、少し足を延ばせば木々の織りなす絶景ロード「メタセコイア並木」も楽しめる。一般サイトとペットサイトで分かれているので、ペット連れでも安心してアウトドアが満喫できそう。

↑芝生サイトに車で乗り入れ、自由にテントが張れる

←リーズナブルな料金設定も魅力のひとつで、ソロキャンプの利用も多いキャンプ場

近隣スポット＆所要時間（車）

温　泉 「マキノ高原温泉さらさ」…約25分
「くつき温泉てんくう」…約30分
買い物 「ナフコ」…約5分
遊び場 「びわ湖こどもの国」…約5分
病　院 「高島市民病院」…約15分

CAMPING AREA

オートサイト	フリーサイト（約100台） ●AC電源なし デイ利用・1泊とも入場料＋駐車料 ※デイ利用は9:00〜17:00
サイトの状態	砂　土　芝生　その他
入場料	デイ利用 大人**500**円・小中学生**300**円 1泊 大人**1000**円・小中学生**600**円 ペット 1匹 **500**円
駐車料	普通車**1000**円
モデル料金	㊅2㊈2　1泊 ➡ 約**4200**円
その他	ペットサイト15区画: デイ利用・1泊とも入場料＋駐車料

携帯電話
au
docomo
SoftBank

利用条件

デイキャンプ　ゴミ捨て　直火　花火　ペット

※犬・猫は専用エリアでのみ可

バーベキューは足付きバーベキューコンロ等を使用すること。ゴミの分別要

施設

管理棟　コテージ等　売店　飲食店　自販機　レンタル　炊事場　洗濯機
乾燥機　AC電源　シャワー　風呂　洋式水洗　和式トイレ　公衆電話　夜間照明

※管理棟9:00〜17:00

滋賀県

リバーランズ角川

山間

HP FB Instagram

●りばーらんずつのかわ

光明寺 石田川 水坂トンネル 近江角川 郵便局 今津西小学校 保坂 至くつき温泉てんくう↓ 至JR近江今津駅・今津総合運動公園↓ GS 303 367

滋賀県高島市今津町角川622

予約受付 **利用日の2カ月前の1日から**(利用当日の受付可、FAX・メールは1日前まで)
※FAXでも受付可(1日前まで)

TEL **0740-24-0911**(9:00〜20:00)
FAX **0740-24-0911** MAIL **suzukis@orange.plala.or.jp**

利用期間 **3月中旬〜12月中旬** ※GW・お盆を除く火・水・木曜休

in 9:00
out 17:00

名神高速道路「京都東」ICから 車で約90分

乗り入れ可能車種

普通車
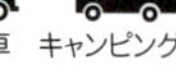
キャンピングカー

トレーラー

⬆フライ池から望む広場サイト。春はしだれ桜が美しい

山に囲まれたのんびり空間 川や池で釣りキャンプ

清流・石田川のそばに広がる約12000m²の敷地に、魚のつかみ取りができる人工河川やえさ釣り池、管理釣り場のフライ・ルアー池などがあり、水辺の楽しみが満載。釣った魚は焼いて食べられる。サイトは区画割なしでゆったりと設営できるフリースタイルで、涼しく静かな林間サイト、川に挟まれた河畔サイトなど4つのエリアから、好みのサイトを先着順に選べる。絵本の読み聞かせや紙芝居などの「絵本の広場」も開催される。

CAMPING AREA

オートサイト	フリーサイト(約20台) ●AC電源あり:約6台 1泊大人1500円・3歳〜小学生1000円 ※AC電源使用は別途500円
サイトの状態	砂 **土** **芝生** その他
入場料	**無料**
駐車料	普通車**1500**円 ※デイ利用は1000円
モデル料金	大2 小2 1泊 ➡ 約**6500**円
その他	日帰りサイト フリー約4張: デイ利用大人1000円・3歳〜小学生500円 ※デイ利用は10:00〜16:00

➡日帰りサイトには石田川や人工河川が流れ、せせらぎが心地よい。水遊びにも最適

近隣スポット&所要時間(車)

温泉「くつき温泉てんくう」…約20分
買い物「ローソン」…約15分
スーパー「プラント」…約15分
遊び場「マキノピックランド」…約30分
病院「マキノ病院」…約30分

施設 | 利用条件 | 携帯電話

ゴミは分別要

ペット ※リードをつけること

au docomo SoftBank

※管理棟・売店9:00〜17:00 ※レンタルはテント・タープ・寝袋・BBQ用具・テーブル&イス・ランタンが可

京都府

京都府

京都大呂ガーデンテラス

HP FB Instagram

●きょうとおおろがーでんてらす

京都府福知山市大呂298-5

予約受付 利用日の3カ月前の1日から

TEL 0773-33-2041(9:00～17:00)
FAX 0773-33-3831
問 MAIL info@oro-gardenterrace.com

利用期間 通年

in 13:00
out 11:00

舞鶴若狭自動車道「福知山」ICから

乗り入れ可能車種

⬆森に囲まれた広々サイト。家族でのんびり

初心者から本格派まで満足 奥京都のアウトドア拠点

自然豊かな福知山の森の中にあるキャンプ場。初心者から上級者、ファミリー、ソロキャンパーまでが楽しめる多彩なプランや設備が充実。7区画あるオートキャンプ場は、各サイト約10m×10mと広々でゆったり過ごせる。天然芝のグラウンドゴルフや小川での水遊び、里山での昆虫採集など、家族で楽しめるアクティビティも豊富。おしゃれな洋室と落ち着いた和室タイプから選べる客室でくつろげる宿泊棟もおすすめ。

CAMPING AREA

オートサイト	7区画(約10m×10m) ●AC電源なし デイ利用630円・1泊1050円 ※デイ利用は11:00～16:00
サイトの状態	砂 **土** 芝生 その他
入場料	大人**530**円・4歳～小学生**320**円
駐車料	**無料**(1台目まで。2台目から1050円)

その他 テントサイト1区画:デイ利用1500円・1泊2500円
手ぶらキャンプ3区画:1泊22000円～
日帰りグランピング1区画:デイ利用20000円～ ほか

モデル料金 大2 小2 1泊 ➡ 約2750円
※オートサイト利用の場合
(サイト利用料+入場料)

レンタル タープ・寝袋・毛布・調理用具・BBQ用具・コンロ・テーブル&イス

近隣スポット＆所要時間(車)

温泉 「福知山温泉」…約25分
買い物 「ローソン」…約5分
「ファミリーマート」…約7分
遊び場 「大呂グラウンドゴルフクラブ」…約2分
病院 「渡辺病院」…約10分

施設: 管理棟 コテージ等 売店 飲食店 自販機 レンタル 炊事場 洗濯機 乾燥機 AC電源 温水シャワー 風呂 洋式水洗 和式トイレ 公衆電話 夜間照明

利用条件: デイキャンプ ゴミ捨て 直火 花火 ペット

! ゴミ捨ては有料500円

携帯電話: au docomo SoftBank

※管理棟、売店9:00～17:00、食堂11:30～22:00(3日前までに予約要)

プレイSpot

大呂グラウンドゴルフクラブを併設。起伏に富んだ16ホール(2コース)は、全国大会も開かれるほどの本格コース。体を動かした後は大浴場でさっぱり汗を流せる。

Memo

「手ぶらキャンプ」では、おしゃれなベルテントに泊まれる。テントやタープの設営はスタッフにお任せ。

⬆奥京都の自然に囲まれながら、美しい天然芝コースでグラウンドゴルフを満喫。用具は借りられるので気軽に楽しめる

⬆里山の緑ときれいな空気に魅了される。動物の声や風が木々を揺らす音に耳を傾けてみるのも楽しみ方のひとつ

➡食材や道具がセットになった、手ぶらBBQも人気

CHECK!

自分流で気楽に過ごせる多彩なプランがそろう

オートサイト以外にも、車中泊専用のRVパークや手ぶらキャンププラン、日帰りグランピング体験など、様々なニーズに対応。レンタル品も充実しているので、まずは気軽にアウトドアを楽しむのも良し。

京都府

京丹後森林公園 スイス村キャンプ場

HP FB Instagram

●きょうたんごしんりんこうえんすいすむらきゃんぷじょう

京都府京丹後市弥栄町野中2562

予約受付 随時
※予約はwebフォームからのみ(利用日の1日前まで)

問 TEL 0772-66-0036(8:30～17:00)

利用期間 4月1日～11月30日 ※木曜休。冬季は問い合わせ要

in 10:00～17:00 ※バンガロー 15:00～17:00
out 10:00

山陰近畿自動車道
「京丹後大宮」ICから

乗り入れ可能車種

⬆気軽にキャンプ気分が味わえるバンガローは家族に人気

森林浴に海水浴、温泉まで 丹後の美しい自然を体感

丹後天橋立大江山国定公園にあるキャンプ場。夏も涼しく快適で、海水浴場や温泉へは車で約25分と、丹後半島の豊かな自然を体感できる好立地だ。サイトはブナやクヌギなどの木々に囲まれ、平均10m×10mと広々。手軽に大自然を体感したい家族やグループには、エアコンなどを完備したバンガローもある。約20種がそろうおもしろ自転車(終日300円)は子どもに大人気。スポーツ派にはテニスコートもあり。

CAMPING AREA

オートサイト 51区画(約10m×10m)
●AC電源なし
デイ利用1000円～・1泊4000円
※デイ利用は10:00～17:00

サイトの状態 砂 土 芝生 その他

入場料 無料

駐車料 無料

その他 フリーサイト10区画:デイ利用1000円・1泊3500円
バンガロー6棟:1泊10000円～
コテージ(大)1棟:1泊39900円～
コテージ(小)5棟:1泊19500円～

モデル料金 大2 小2 1泊 ➡ 約4000円
※オートサイト利用の場合
(サイト利用料)

レンタル テント・タープ・寝袋・BBQ用具・コンロ・テーブル&イス ほか

近隣スポット & 所要時間(車)

温泉 「宇川温泉」…約25分
買い物 スーパー「にしがき」…約25分
「道の駅 舟屋の里伊根」…約25分
遊び場 「碇高原」…約10分
病院 「弥栄病院」…約25分

※管理棟8:30～17:00、売店9:00～17:00、飲食店10:00～15:00

⬆清々しい空気に包まれるキャンプサイトは3つのエリアに分かれている。BBQ用具のレンタルもあって便利

⬆キャンプ場があるのは、丹後半島の最高峰・太鼓山（たいこやま）の山頂付近に広がる標高約683mの高原

プレイSpot

須川渓流と太鼓山を巡るハイキングコースがあり、季節ごとに丹後の自然が体感できる。山道もスイスイ進める電動自転車のレンタルもある。

Memo

村内の「風のがっこう京都」ではレストランを運営。地元の海・山・川の幸を使ったランチが堪能できる。

CHECK!

バンガローやコテージで手軽にアウトドア気分

大きな窓から日差しが差し込むバンガローは近くに炊事棟や入浴施設などがあるので、不便なく過ごせる。風呂・トイレ・キッチン完備のコテージもおすすめ。食べ物と着替えだけで存分に楽しめる。

⬅いろんな種類がそろう、おもしろ自転車に乗ってみよう

京都府

タカジンランド久美浜オートキャンプ場

HP FB Instagram

●たかじんらんどくみはまおーときゃんぷじょう

山陰近畿自動車道
「京丹後大宮」ICから

京都府京丹後市久美浜町神崎1150

予約受付 利用日の1年前から(利用日の受付可)

TEL **0772-83-1548**(8:00～20:00)

問 FAX **0772-83-1548**

利用期間 通年

in 14:00
out 10:30

乗り入れ可能車種

⬆かぶと山からの眺望。春は桜やヤマツツジが見もの

見晴らし最高の丘陵地 四季折々の自然と遊ぼう

山陰海岸ジオパークの中間部、丹後半島の西端にあたる立地。兜山(かぶとやま)のふもとに位置し、山頂からは「京都府選定文化的景観」にもなっている久美浜湾を一望できる。通年営業で、夏はハイキングやマリンスポーツ、冬はカニを味わうグルメキャンプや雪中キャンプ、温泉巡りと、楽しみ方は四季折々。場内でレンタルや販売があるほか、スーパー・ホームセンターも近く必需品が手に入れやすい。各種バンガローなどの宿泊施設も。

CAMPING AREA

オートサイト **20**区画(約4m×10m)+**フリーサイト**(約5台)
●AC電源あり
デイ利用は入場料+駐車料
1泊は入場料+駐車料+基本料金2500円～
※デイ利用は受付～日没(問い合わせ要)

サイトの状態 砂 **土** 芝生 その他

入場料 1日 大人**1000**円・15歳以下**250**円

駐車料 普通車**500**円

その他 各種バンガロー4棟:
1泊 入場料+駐車料+基本料金7000円～ ほか

モデル料金 大2小2 1泊 ➡ **約5500円**
※オートサイト利用の場合
(入場料+駐車料+基本料金)

レンタル テント・タープ・寝袋・調理用具・BBQ用具・コンロ・テーブル&イス

近隣スポット&所要時間(車)

温泉 「久美浜温泉」…約5分
「城崎温泉」…約30分
買い物 スーパー「Aコープ」「にしがき」…約10分
「ローソン」…約10分
病院 「久美浜病院」…約10分

施設

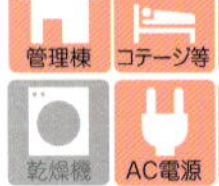

利用条件

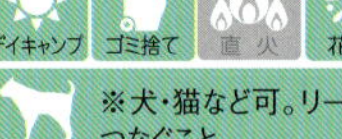
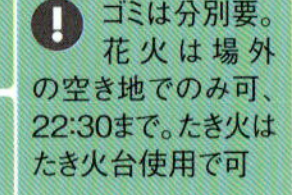

※犬・猫など可。リードでつなぐこと

ゴミは分別要。花火は場外の空き地でのみ可、22:30まで。たき火はたき火台使用で可

携帯電話
au
docomo
SoftBank

※管理棟24時間、売店8:00～21:00、飲食店11:00～22:00(不定休) ※シャワーは4分200円

プレイSpot

目の前に広がる久美浜湾は、波が穏やかでマリンスポーツに最適。湾外まで足を延ばせば釣りポイントや海水浴場にも事欠かない。久美浜温泉も車で5分ほど。

Memo

犬や猫などのペットも入場OKなので、マナーを守って都会暮らしのペットのリフレッシュに。

⬆久美浜湾と外海を隔てる小天橋の冬。美しい雪景色を堪能できるのも、通年で営業しているここならではの魅力

⬆オートサイトは、標高5〜15mの丘陵地の林間に階段状に設けられている。海、山、田園の美しい風景が広がる

➡管理棟前から望む秋景色。色鮮やかなコスモスが青空に映える

CHECK!

久美浜湾と美しい田園風景 秋はコスモスの中を散策

サイトから久美浜湾までは約300mほど。秋には一面がコスモスで華やかに彩られ秋らしい景色を楽しめる。手前には田園風景が広がり通り抜けることもできるので、散歩するのもおすすめ。

京都府

天女の里 オートキャンプ場

●てんにょのさとおーときゃんぷじょう

HP FB Instagram

京都府京丹後市峰山町鱒留1642

予約受付 利用日の6カ月前の1日から(利用日の1日前まで)

問 TEL 0772-62-7720(9:00〜17:00)
MAIL tennyo@aioros.ocn.ne.jp

利用期間 通年

in 14:00
out 10:00

山陰近畿自動車道「京丹後大宮」ICから

普通車 キャンピングカー トレーラー

⬆山あいにあるキャンプ場。夕暮れ時も情趣がある

羽衣伝説の残る里山で味わう忘れがたい体験

羽衣伝説の残る丹後半島・磯砂山(いさなごさん)のふもと。昔話に出てくるような里山に囲まれたキャンプ場で、車を横付けできるウッドデッキサイトは、ミニ流し台とテーブル・椅子、AC電源を備えた快適仕様。炊事棟やシャワー・トイレも管理が行き届き気持ちよく使える。ほかにフリーサイト(季節限定)と和風コテージもスタンバイ。そば打ちやこんにゃく作り、手機織物など地元らしい体験メニューや、魚釣りも楽しみ。

CAMPING AREA

オートサイト **9**区画(約4m×5m)+**フリーサイト**(約9台)
●AC電源付き:9区画
デイ利用2000円・1泊4000円
●AC電源なし:フリーサイト(約9台)
デイ利用・1泊とも1000円
※デイ利用は9:00〜17:00

サイトの状態 砂 土 芝生 その他

入場料 **無料**

駐車料 **無料**

その他 コテージ4棟:1泊11000円〜

モデル料金 大2 小2 1泊 ➡ 約4000円
※AC電源ありオートサイト利用の場合(サイト利用料)

レンタル テント・タープ・毛布・BBQ用具

近隣スポット&所要時間(車)

温泉 「たんたん温泉」…約20分
「久美浜温泉」「弥栄あしぎぬ温泉」…約30分
買い物 スーパー「にしがき」…約10分
ショッピングセンター「マイン」…約12分
病院 「丹後中央病院」…約10分

施設

利用条件

花火は手持ちで音の出ないもののみ可。キャンピングカー・トレーラーの乗り入れは応相談

携帯電話

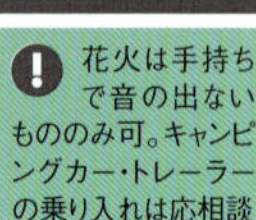

※管理棟24時間、売店9:00〜20:00 ※シャワーは10分200円

⬆ウッドデッキサイトはAC電源完備。テントやBBQ用具もレンタルOKで、快適なキャンプ生活が気軽にできる

⬆ウッドデッキサイトは9区画あり、ゆったりと車が横付けできる。ほかに芝生のフリーサイトもあり、こちらは9張ほどの広さ

プレイSpot

鱒留川(ますどめがわ)では魚釣りのほか、夏休み限定で魚つかみ体験もできる。また絹織物の名産地・丹後ならではの手機体験はじめ各種体験には宿泊客割引あり。

Memo

磯砂山の登山口へは車で約10分、頂上へは約50分のハイキング。360度、大パノラマの絶景に出合える。

CHECK!

古き良き日本の佇まい 囲炉裏を囲んでほっこり

古民家風の和風コテージは、囲炉裏を備えた心地良い空間が人気。釣った魚を焼いたり鍋を囲んだりと、どの季節も趣深い。炭は売店で購入要。定員6名で4棟、オンシーズンの週末は早めの予約を。

⬅珍しい古民家風の和風コテージは、バスなどの設備も充実

京都府

美山町自然文化村キャンプ場

HP FB Instagram

●みやまちょうしぜんぶんかむらきゃんぷじょう

京都府南丹市美山町中下向56

予約受付 利用日の6カ月前の1日から(利用当日の受付可)

TEL 0771-77-0014(9:00～21:00)

問 FAX 0771-77-0020

利用期間 4月1日～11月30日 ※8・11月を除く第2月曜休

in 15:00

out 14:00 ※ログハウス 13:00

京都縦貫自動車道「園部」ICから 車で約40分

乗り入れ可能車種

普通車 キャンピングカー トレーラー

⬆豊かな自然に囲まれた、心癒やされるロケーション

日本の原風景・かやぶきのぬくもりと清らかな空気に憩う

里山の懐かしい雰囲気が残るかやぶきの里・美山町の清流、由良川畔に位置する好立地。サイトはAC電源と炊事場、かまどを備えた第2オートキャンプ場のほか、林間サイトと青空サイトの2種類がある第1オートキャンプ場、ソロサイト、日帰りサイトなど多彩。併設の河鹿荘には売店や、地元産の食材を使った料理が食べられるレストランもある。ブナの原生林"芦生の森"のガイド付きハイキングツアー(予約要)もおすすめ。

CAMPING AREA

オートサイト	47区画(約10m×8m・約8m×8m) ●AC電源付き:18区画 1泊3300円 ●AC電源なし:29区画 1泊1650円
サイトの状態	砂 **土** 芝生 その他
入場料	大人990円・4歳～小学生660円 ※美化協力金含む ※デイ利用は大人500円・4歳～小学生330円
駐車料	無料
その他	ログハウス3棟:1泊7700円～ ソロサイト15区画:入場料のみ デイ利用サイト4区画:入場料のみ。9:00～17:00

モデル料金 大2 小2 1泊 ➡ 4950円
※AC電源なしオートサイト利用の場合(サイト利用料+入場料)

レンタル なし

近隣スポット&所要時間(車)

- 買い物 「道の駅 美山ふれあい広場」…約10分
- 「Yショップ」…約20分
- スーパー「サンダイコー」…約40分
- 遊び場 「かやぶきの里」…約5分
- 病院 「京北病院」…約30分

※管理棟9:00～22:00(本館宿泊施設に常駐)、売店9:00～21:00、飲食店(レストラン)11:30～15:00(LO14:00)(不定休)、風呂11:00～20:00

プレイSpot

近隣のかやぶき民家保存地区「かやぶきの里」散策など、美山観光の拠点にするのに最適。移動に便利なレンタルサイクルは1台1000円～。

Memo

京地どりや野菜などBBQ食材セットの販売（予約要）もあり、美山の自然をふんだんに味わえる。

⬆キャンプ場からほど近くにあるのが、美山町内の中でももっともかやぶき民家が多い知井地区・北集落

⬆各サイトにAC電源、流し、かまどが設置され、快適に過ごせる第2オートキャンプサイト

➡入浴は宿泊施設「河鹿荘」の露天風呂付きの大浴場で快適に

CHECK!

こだわりの湯で美山を体感 心身ともにリフレッシュ

河鹿荘の大浴場と露天風呂は、美山の山林の間伐材（杉チップ）を燃料にした、環境配慮型のこだわり風呂。湯は松鉱石（しょうこうせき）を通すため、柔らかで体の芯からじんわり温まると評判だ。

京都府

井手町野外活動センター「大正池グリーンパーク」

林間

HP FB Instagram

●いでちょうやがいかつどうせんたーたいしょういけぐりーんぱーく

第二京阪道路
「田辺西」ICから
車で約40分

乗り入れ可能車種

普通車

キャンピングカー

トレーラー

京都府綴喜郡井手町多賀一ノ谷20-1

予約受付 利用日の1年前から
※予約はwebフォームからのみ(利用日の2日前の0:00まで)

問 TEL **0774-99-4733**(9:00〜17:00)

問 MAIL **info@taishoike.site**

利用期間 通年 ※GWを除く水曜(祝日の場合は翌日)・年末年始休

in 12:00
out 10:00

⬆園内奥の静かな環境の中で過ごせる、かじか谷サイト

池と森が織りなす空間で やすらぎのひとときを

大正池を中心に広がる美しい自然環境が魅力。周囲の森は鳥獣保護区に指定され、リスや鹿などに出合えることも。オートキャンプ用のかじか谷サイトは9区画で、のんびり過ごすのにピッタリの静かな環境。ほかにも屋根付きのBBQスペースやテントデッキを設けたキャンプサイト、冷暖房や浴室・冷蔵庫完備のバンガロー(6人用・8人用)、研修室があり、好みのスタイルで滞在できる。トレッキング拠点に利用するキャンパーも多い。

CAMPING AREA

オートサイト	**9**区画(約5m×6m) ※サイトにより異なる ●AC電源付き:6区画 デイ利用・1泊とも3000円+野外宿泊料 ※AC電源使用は別途650円 ●AC電源なし:3区画 デイ利用・1泊とも3000円+野外宿泊料 ※デイ利用は12:00〜17:00
サイトの状態	砂 土 芝生 その他
入場料	大人**600**円・中高生**550**円・3歳〜小学生**500**円 ※バンガロー・研修室は大人1200円・中高生1100円・3歳〜小学生1000円
駐車料	四輪車**500**円 ※オートサイトは1台まで利用料に含む ※場外無料駐車場あり
モデル料金	大2 小2 1泊 ➡ 約**5200**円
その他	なし

➡散策や野鳥観察が楽しめる大正池。ゆっくり歩いて1時間ほどの遊歩道も整備

近隣スポット&所要時間(車)

- 温泉 「上方温泉一休」…約45分
- 買い物 「クスリのアオキ」…約25分
- 遊び場 「大正池渓流魚センター」…ゲート前からすぐ(徒歩)
  「龍王の滝」…約2時間(徒歩)
- 病院 「京都田辺中央病院」…約35分

施設

管理棟 コテージ等 売店 飲食店 自販機 レンタル 炊事場 洗濯機 乾燥機 AC電源 温水シャワー 風呂 洋式水洗 和式水洗 公衆電話 夜間照明

利用条件

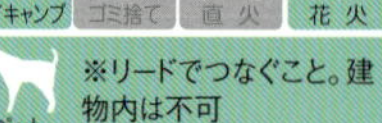
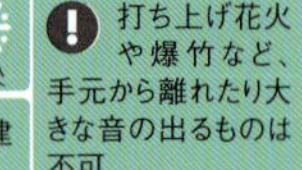

デイキャンプ ゴミ捨て 直火 花火 ペット

※リードでつなぐこと。建物内は不可

打ち上げ花火や爆竹など、手元から離れたり大きな音の出るものは不可

携帯電話

au docomo SoftBank

※管理棟9:30〜17:00 ※シャワーは20分1人250円(時間予約制) ※レンタルは毛布・調理用具・BBQ用具が可

横谷キャンプ場 キャラバン・サライ

●よこたにきゃんぷじょうきゃらばんさらい

京都府福知山市三和町中出472

予約受付 4月1日～11月30日
※予約はメールでのみ

利用期間 4月最終土曜～12月最終日曜

in 8:00 ※到着時間を事前に要連絡
out 17:00

丹波綾部道路
「京丹波みずほ」ICから

乗り入れ可能車種

普通車

キャンピングカー

トレーラー

アットホームな雰囲気の緑豊かな森のサイトへ

ペルシャ語で「小さな宿」を意味する名の通り、手作りの温もりあふれるこぢんまりとしたキャンプ場。オートサイトは3カ所に分かれ、一番広い第1が大型テント4張、車6台ほどの規模。各オートサイトにはスノコも用意され、初心者でも使いやすい。浅瀬の清流がすぐ近くなので、気軽に川遊びが楽しめる。春の若葉が美しい新緑から、夏のクワガタとりやホタル狩り、秋の紅葉まで、季節によって移り変わる自然を感じられるのも魅力。

⬆オートサイトはフリー区画で、移動可能なスノコを設置

⬅炊事場が近くて便利な上、大型テントもゆったり設置可能な第1・2オートサイト

近隣スポット＆所要時間（車）

温泉 「福知山温泉」…約20分
買い物 「ローソン」…約5分
スーパー「プラント3」…約15分
「道の駅 丹波おばあちゃんの里」…約30分
病院 「福知山市民病院」…約30分

CAMPING AREA

オートサイト フリーサイト（約8台）
●AC電源なし
デイ利用500円・1泊1000円
※デイ利用は土日祝を除く8:00～17:00。利用日の1日前または利用当日のみ予約可

サイトの状態 砂 土 芝生 その他

入場料 乳幼児を除き1人1日**500**円（1泊1000円）

駐車料 **無料**

モデル料金 ㊅2㊇2 1泊 ➡ 約**5000**円

その他 なし

携帯電話

au
docomo
SoftBank

利用条件

※小型犬のみ可

打ち上げ花火は不可。炊事場にAC電源あり。シャワーは5分200円

施設

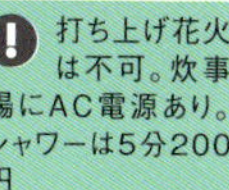

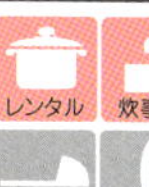

※管理棟24時間 ※レンタルはテント・ダッチオーブンが可

かぶと山公園キャンプ場

●かぶとやまこうえんきゃんぷじょう

京都府京丹後市久美浜町向磯6

予約受付 3月1日から

TEL 0772-83-1457(9:00〜17:00)
FAX 0772-66-3307

利用期間 4月1日〜11月30日

in 14:00
out 12:00

山陰近畿自動車道「京丹後大宮」ICから 車で約40分

乗り入れ可能車種: 普通車 / キャンピングカー / トレーラー

⬆山と海に囲まれた平坦なオートサイト

海＆山の魅力を一度に堪能！入り江を望む欲ばりキャンプ

標高191.7mの兜山(かぶとやま)のふもと、波の静かな入り江の久美浜湾を望む公園内。春は桜、初夏は兜山の新緑、夏は近くの浜辺での海水浴と、山と海両方の魅力を楽しめる立地が魅力。湾を見下ろす20区画のオートサイトは、AC電源・保安灯付き。ウッドデッキが付いたテントサイトも。長さ約36mのローラーすべり台を備えた大型アスレチックや、近隣のメロンやブドウ、ナシなどのフルーツ狩り施設でたっぷり遊ぼう。

➡見晴らしのよい高台にあるアスレチック。隣には芝生の広場も

CAMPING AREA

オートサイト	30区画(約5m×7m) ●AC電源付き:20区画 デイ利用1000円・1泊3000円 ●AC電源なし:10区画 デイ利用1000円・1泊3000円
サイトの状態	砂 / **土** / **芝生** / その他
入場料	1区画400円(美化協力金)
駐車料	無料
モデル料金	大2 小2　1泊 ➡ 約3400円
その他	テントサイト13区画:デイ利用1000円・1泊3000円

近隣スポット＆所要時間(車)

温泉「久美浜温泉」…約10分
買い物 スーパー「Aコープ」「にしがき」…約10分
「道の駅 SANKAIKAN」…約10分
病院「久美浜病院」…約10分

※管理棟8:30〜17:30　※レンタルはテント・タープ・調理用具・BBQ用具・コンロが可　※Wi-Fi利用可。コワーキングスペースあり

てんきてんき村 オートキャンプ場

HP FB Instagram

●てんきてんきむらおーときゃんぷじょう

京都府京丹後市丹後町竹野313-1

予約受付 利用日の90日前から
※予約はwebフォームからのみ(利用日の1日前まで)

問 TEL 0772-75-2526(9:00～17:00)
問 FAX 0772-75-2710

利用期間 通年 ※第2·4火曜休

in 11:00
out 10:00

山陰近畿自動車道「京丹後大宮」ICから

乗り入れ可能車種

道の駅や温泉が徒歩圏内 丹後半島のシンプルサイト

鳴き砂で有名な琴引浜まで車で10分ほど。道の駅に隣接する立地の良さや、12～2月のオフシーズンは、1サイト1泊2000円～2500円とリーズナブルな料金が魅力。オート区画は日本海に注ぎこむ竹野川の河口付近にあり、徒歩10分で後ヶ浜海水浴場に着く。車の乗り入れはできないが、こちらにも7月中旬～8月下旬に立岩キャンプ場を開設。日本海の澄んだ水と、「山陰海岸ジオパーク」として知られる海岸美を堪能しよう。

⬆周囲約1kmの巨石・立岩まで徒歩約5分

⬅シャワーが付いた更衣室やトイレ、炊事棟のほか、ペット専用サイトも用意されている

近隣スポット＆所要時間(車)

温泉 「丹後温泉 はしうど荘」…約1分
買い物 「道の駅 てんきてんき丹後」…すぐ
「ヤマザキデイリーストア」…約2分
スーパー「にしがき」…約3分
病院 「弥栄病院」…約15分

CAMPING AREA

オートサイト	65区画(約8m×8m) ●AC電源付き:7区画 1泊4500円 ●AC電源なし:48区画 1泊4000円 ●ペット同伴サイト:10区画 1泊3500円 ※デイ利用は全て2000円 ※ペット同伴サイトは4月中旬～11月末頃 ※12～2月はオフシーズン割引あり
サイトの状態	砂 土 芝生 その他
入場料	無料 駐車料 無料
モデル料金	大2 小2 1泊 ➡ 約4000円 ※AC電源なしサイト利用の場合
その他	なし

携帯電話	利用条件	施設
au docomo SoftBank	デイキャンプ、ゴミ捨て、直火、花火、ペット ※ペット同伴サイトのみ可 ゴミは分別要。シャワーは無料	管理棟、コテージ等、売店、飲食店、自販機、レンタル、炊事場、洗濯機、乾燥機、AC電源、シャワー、風呂、洋式トイレ、和式トイレ、公衆電話、夜間照明

※管理棟9:00～17:00

京都府

宇津峡公園

HP FB Instagram

●うつきょうこうえん

京都府京都市右京区京北下宇津町向ヒ山1

予約受付 2月1日から(4月1日～翌年3月31日分の受付可)
※オート区画サイト3000円、コテージ5000円の予約金要

TEL **075-855-1950**(8:30～17:00)

利用期間 **通年** ※夏休み期間を除く水曜(祝日の場合は翌日)・12月28日～1月4日休

in 11:00
out 10:00

京都縦貫自動車道
「園部」ICから

乗り入れ可能車種

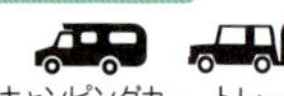

普通車 キャンピングカー トレーラー

⬆オートサイトに植わる桜で、春はお花見キャンプを

水回り施設が清潔な公園で清流と森林に囲まれキャンプ

京都市内から車で1時間ほど。上桂川の清流にほど近いのどかな自然公園。21区画あるオートサイトは柔らかい芝地で、全てAC電源付き。清潔に手入れされたシャワー室やトイレ、炊事棟などの水回りにも近く便利だ。一方、広々としたフリーのデイキャンプ専用サイトは、河原をそのまま生かしたおおらかな雰囲気が魅力。地元らしいコテージも利用してみたい。アユのつかみ取りなど、親子で楽しめる自然体験プログラムも充実している。

➡オートサイトはゆったりした広さ。普通車1台を入れてテント1張、タープ1張が設営可能

CAMPING AREA

オートサイト	**21**区画(約10m×10m) ●AC電源付き:21区画 1泊 5140円+テント設置料 ※テント設置料820円
サイトの状態	砂 土 **芝生** その他
入場料	大人**310**円・小学生**200**円
駐車料	普通車**520**円(フリーデイサイト利用時のみ)
モデル料金	㊅2 ㊇2 1泊 ➡ 約**7080**円 ※オートサイト利用の場合
その他	フリーデイサイト約100台:入場料+駐車料 コテージ7棟:1泊15420円～

近隣スポット&所要時間(車)

温　泉 「スプリングスひよし(ひよし温泉)」…約15分
買い物 スーパー「サンダイコー」…約15分
遊び場 「スチールの森京都(府民の森ひよし)」…約15分
病　院 「京北病院」…約10分

施設

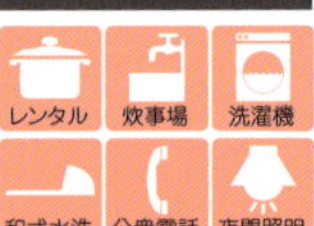

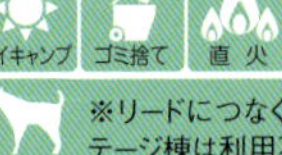

管理棟 コテージ等 売店 飲食店 自販機 レンタル 炊事場 洗濯機
乾燥機 AC電源 温水シャワー 風呂 洋式水洗 和式水洗 公衆電話 夜間照明

利用条件

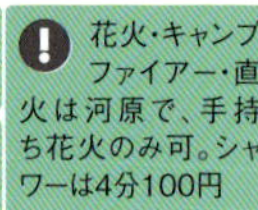

デイキャンプ ゴミ捨て 直火 花火
ペット ※リードにつなぐこと。コテージ棟は利用不可

❗花火・キャンプファイアー・直火は河原で、手持ち花火のみ可。シャワーは4分100円

携帯電話

au docomo SoftBank

※管理棟8:30～17:00(宿泊のある場合は24時間)、売店8:30～22:00　※レンタルはテント・BBQコンロが可

奈良県

奈良県

サンビレッジ曽爾 奥香落オートキャンプ場

高原

HP FB Instagram

●さんびれっじそにおくこうちおーときゃんぷじょう

奈良県宇陀郡曽爾村今井911-1

予約受付 利用日の3カ月前から（利用当日の受付可）

TEL 0745-94-2619（9:00〜17:00）

利用期間 通年

in 13:00

out 12:00 ※コテージ・バンガロー・多目的棟 10:00

名阪国道

「針」ICから

車で約50分

乗り入れ可能車種

普通車　キャンピングカー　トレーラー

⬆テントサイトは芝地が中心で、AC電源も完備している

雄大なススキ野原の名所 山々に囲まれた高原リゾート

銀色の穂がたなびく広大なススキ野原の曽爾高原、鎧岳・兜岳・国見山の峰々が連なる見事な眺望……多くの観光客を魅了する曽爾村の自然を、快適設備で体感できるアウトドアベースだ。各テントサイトはAC電源を完備し、炊事場とサニタリー棟も隣接。炊事棟の湯沸かし器とガスコンロ2台も無料で使える。グループサイトやペットOKのサイトもあり、レンタル品も充実。お手軽派はウッディなコテージやバンガローもおすすめ。

CAMPING AREA

オートサイト 27区画（約9m×9m）
●AC電源付き
デイ利用2100円・1泊4200円
※AC電源使用は別途600円
※デイ利用は10:00〜17:00（宿泊者優先）

サイトの状態 砂　土　芝生　その他

入場料 無料

駐車料 無料

その他 コテージ9棟:1泊20000円〜
バンガロー6棟:1泊8500円〜
多目的棟2棟:1泊13000円〜

モデル料金 ㊅2㊈2　1泊 ➡ 約4200円
※オートサイト利用の場合
（サイト利用料）

レンタル テント・タープ・毛布・調理用具・BBQ用具・コンロ・テーブル&イスなど

近隣スポット＆所要時間（車）

温泉 「曽爾高原温泉 お亀の湯」…約15分

買い物 「曽爾高原ファームガーデン」…約15分
「サンクシティオークワ」…約40分
「ローソン」…約40分

病院 「曽爾村国民健康保険診療所」…約15分

施設

管理棟　コテージ等　売店　飲食店　自販機　レンタル　炊事場　洗濯機
乾燥機　AC電源　温水シャワー　風呂　洋式水洗　和式水洗　公衆電話　夜間照明

利用条件

デイキャンプ　ゴミ捨て　直火　花火

ペット ※テントサイトの一部のみ可

❗ゴミは指定袋150円を購入。シャワーは5分100円、12〜3月は使用不可

携帯電話

au
docomo
SoftBank

※管理棟8:00〜18:00、売店8:00〜22:00、テニスコート9:00〜18:00、BBQ棟10:00〜21:00　※コテージのみWi-Fi利用可

⬆グループ利用に便利な約300m^{2}のサイトも1区画ある。バーベキュー棟はひさしの長い屋根付きで雨天でも安心

⬆2階建てタイプのコテージ。1階にはキッチン・バス・トイレがあり、2階は就寝スペース。テラスでバーベキューもできる

プレイSpot

場内には素朴なアスレチックゾーンがあり、木の遊具で体を動かして遊べる。テニスコートも3面。釣りや遊泳が楽しめる青蓮寺川(しょうれんじがわ)へも徒歩約10分で行ける。

Memo

場内からは、岩肌が印象的な鎧岳の姿が一望。初夏にはアジサイの花があちこちで花開く。

CHECK!

関西屈指ともいわれるハイキングコースを散策

キャンプ場は標高1038mの倶留尊山(くろそやま)の中腹にあり、回りにはハイキングコースが整備されている。ススキの名所・曽爾高原をはじめ、切り立った岩が迫力ある屏風岩など見どころいっぱい。

⬅売店や浴場、休憩所のある管理棟。隣にはサニタリー棟がある

下北山スポーツ公園キャンプ場

HP FB Instagram

●しもきたやますぽーつこうえんきゃんぷじょう

奈良県吉野郡下北山村上池原

予約受付 利用日の3カ月前の1日から(利用当日の受付可)
※7・8月分は春分の日から ※webフォームからも受付可(1日前まで)

TEL **07468-5-2177**(8:30〜17:00)
MAIL **camp-knr@m5.kcn.ne.jp**

利用期間 通年

in 14:00
out 10:00

南阪奈道路
「葛城」ICから

乗り入れ可能車種

普通車

キャンピングカー

トレーラー

⬆区画サイトは約10m×10mのゆったりサイズが計30カ所

充実設備と温泉が魅力
リピーターも多い穴場

バス釣りで知られる池原ダムの直下に位置し、深い山々と森に囲まれた穴場的ロケーションと手入れの行き届いた設備が好評。オートサイトのほか一部のテントサイトも車の乗り入れが可能。コテージやバンガローも多彩にそろう。公園内にはフットサルコートやテニスコート、パターゴルフ場などスポーツ施設が満載。様々な木造遊具で遊べる「わんぱくランド」も子どもに人気だ。園内の人工川や車で5分ほどの河原では水遊びもできる。

CAMPING AREA

オートサイト	**30**区画(約10m×10m) ●AC電源付き:12区画 デイ利用2750円・1泊5500円 ●AC電源なし:18区画 デイ利用2250円・1泊4500円 ※デイ利用は9:00〜17:00
サイトの状態	砂 土 芝生 その他
入場料	**無料**
駐車料	普通車**600**円 (オートサイトは1台まで利用料に含む)
その他	テントサイト約30張:1泊 大人1人700円・小学生500円 ほか

モデル料金 ㊅2㊉2 1泊 ➡ **約4500円**
※AC電源なしオートサイト利用の場合
(サイト利用料+駐車料)

レンタル 寝袋・毛布・調理器具・BBQ用具・コンロ・テーブル&イス

近隣スポット&所要時間(車)

買い物 スーパー「イオン」「オークワ」…約50分
遊び場 「明神池」…約10分
「不動七重の滝」…約25分
病　院 「下北山村国民健康保険診療所」…約15分

※管理棟8:30〜17:00、売店8:30〜17:00、飲食店(きなりの湯に併設)・風呂(きなりの湯)の時間は問い合わせ要、中学生以上700円・3歳〜小学生400円

⬆緑豊かな区画サイトはAC電源付き12区画とAC電源なし18区画に分かれる。ほかテント約30張分のフリーサイトも

⬆コテージやバンガローは種類豊富。寝具やユニットバス・トイレ、冷蔵庫などを備えた豪華版や愛犬同伴OKのものもある

プレイSpot

パターゴルフ場や立体迷路、アスレチック広場などの遊具を備えた「わんぱくランド」がある。またハードとクレイの2タイプから選べるテニスコートも。

Memo

公園から車で10分ほど離れた平成の森にもバンガローやコテージがある。高台でダム湖の眺めは最高!

CHECK!

くつろぎの天然温泉「きなりの湯」へ徒歩10分

敷地内の温泉「きなりの湯」は、美人の湯と言われるナトリウム・炭酸塩泉。木の香りが漂う「槙の湯」と自然石造りの「栃の湯」が男女日替わりで楽しめる。どちらも露天風呂付き。レストランや土産店、休憩所も併設。

⬅ロフト付きC型コテージ。冷暖房や寝具、AC電源完備

奈良県

高見公園キャンプ場

●たかみこうえんきゃんぷじょう

HP FB Instagram

南阪奈道路「葛城」ICから

乗り入れ可能車種

奈良県吉野郡東吉野村木津740

予約受付 3月から随時(利用当日の受付可)
※キャンプ・ロッジ・バーベキュー(団体用)は予約金2000円要

TEL 0746-44-0288(9:00〜18:00)

利用期間 4月下旬〜9月下旬

in 13:00
out 11:00

⬆特産の杉を使った建物が点在し、日当たりの良い場内

吉野の美しい自然に囲まれ手が行き届いたサイトが魅力

三重との県境にそびえる高見山のふもとに2009年オープン。こぢんまりとして清潔感のあるキャンプ場だ。フラットな砂地のオートサイトは17区画全てにAC電源を完備。オート区画を取り囲むように、シャワー室、トイレ、炊事場が隣接しているので使いやすい。石組みの炉が珍しい屋根付きのバーベキューハウスや、畳敷きのオートロッジもあるので、気軽にアウトドアを楽しみたい人にも最適だ。

CAMPING AREA

オートサイト	**17**区画(約8m×8m) ●AC電源付き デイ利用3000円・1泊6000円 ※デイ利用は13:00〜18:00
サイトの状態	砂 土 芝生 その他
入場料	大人**500**円・3歳〜中学生**300**円・ペット**500**円(小型犬のみ)
駐車料	**無料** (1台目まで。2台目から普通車1台500円)
その他	オートロッジ11棟:デイ利用5000円・1泊10000円

モデル料金 大2 小2 1泊 ➡ 約7600円
※オートサイト利用の場合
(サイト利用料+入場料)

レンタル タープ・寝袋・BBQ用具・テーブル&イス・寝具セット(予約要)

近隣スポット&所要時間(車)

温泉 「たかすみ温泉」「大宇陀温泉あきののゆ」…約15分
買い物 「ひよしのさとマルシェ」…約3分
「ローソン」…約10分
スーパー「タナカ」…約12分
病院 「辻村病院」…約10分

※管理棟9:00〜19:00、売店9:00〜19:00、バーベキューハウス10:00〜18:00 ※炊飯場には洗剤を設置(まな板、包丁、スポンジの設置なし)

⬆美しい水が流れる高見川を見下ろすキャンプ場。澄みきった空気を思いっきり吸い込んでみて

⬆デイキャンプにも便利な川沿いのバーベキューテラスは、18棟・団体用1棟。柱やベンチなどはすべて木製で温かみがある

プレイSpot

初夏にはゲンジボタルが飛び交うホタル池や、魚のつかみ取り池が場内にある。また、目の前の高見川は水遊びにぴったり。天然のアユやアマゴも釣れる。

Memo

タープやテーブル、寝具セット、バーベキューコンロなど、レンタル品も充実しているので便利。

CHECK!

自然あふれる吉野の山と温泉でリフレッシュ

奈良県でも唯一ダムのない清流として知られる高見川と、豊かな森林に囲まれたキャンプ場は、自然を満喫するのに最適なスポット。多くの文人が愛した「たかすみ温泉」へは車で約15分。

⬅高見川での川遊びのほか、場内では魚のつかみ取りも(予約要)

みつえ青少年旅行村

山間

HP FB Instagram

●みつえせいしょうねんりょこうむら

敷津
姫石の湯
伊勢本街道
GS
368
道の駅 伊勢本街道御杖
至勢和
至国165号線
369
御杖バイパス
御杖村役場
神末川

奈良県宇陀郡御杖村神末1790

予約受付 利用日の3カ月前の1日10:00から
※予約はwebフォームからのみ(利用日の3日前まで)
※問い合わせはwebフォームから

利用期間 通年 ※夏休み期間を除く火・水曜休

in 12:00
out 10:00

名阪国道
「針」ICから

乗り入れ可能車種

普通車　キャンピングカー　トレーラー

⬆バンガローは各棟ごとに専用の炊事場が設けられている

清々しい国定公園の麓で登って滑って大冒険

奈良と三重の県境に位置し、室生赤目青山国定公園の一角をなす標高1235mの三峰山(みうねやま)。その山すそに広がり、自然豊かな好ロケーション。AC電源完備のオートサイトは約70m²で柔らかな草地。ほかに個別屋外炊事場付きバンガローもある。全長約240mのボブスレーやジャンボローラーすべり台、フィールドアスレチックなど大型遊具も充実。場内を流れる美しい川にもすべり台が設置され、夏の水遊びに最適だ。

CAMPING AREA

オートサイト **20**区画(約7m×10m)
●AC電源付き
1泊5500円～

サイトの状態 砂 土 芝生 その他

入場料 無料

駐車料 無料
(1台目まで。2台目から予約要で1台800円)

その他 バーベキューサイト10区画:5000円
ギア持込みサイト5区画:3000円
※利用は10:00～16:00
バンガロー11棟:1泊10500円～

大2 小2 1泊 ➡ 約5500円～
※オートサイト利用の場合
(サイト利用料)

レンタル 調理用具・BBQ用具

近隣スポット＆所要時間(車)

温泉	「みつえ温泉 姫石の湯」…約10分
買い物	「道の駅 伊勢本街道・御杖」…約10分
	「ドン・キホーテ」…約40分
遊び場	「不動の滝」…約30分(徒歩)
病院	「名張市立病院」…約40分

※管理棟24時間(宿泊3組以下の場合は不在)、売店9:15～19:00

⬆山の眺めがさわやかなオートサイト。春には花見も楽しめる。AC電源付きで、炊事棟もすぐそばにあって便利

⬆全長約140mのジャンボローラーすべり台が子どもに人気。地元の地名にちなんだ8種類の遊具で遊べるアスレチックも隣に

プレイSpot

巨大すべり台やフィールドアスレチックのほか、アマゴのつかみ取り(1回5匹2500円〜、当日受付のみ)や魚釣り(1回5匹2000円〜)も可能。

Memo

入浴は車で約10分の天然温泉「姫石の湯」が便利。キャンプ場利用者は割引料金で利用できる。

CHECK!

四季折々の魅力あふれる三峰山への登山もおすすめ

キャンプ場は三峰山への登山ルートの入り口にあたり、4〜5時間で山頂へ往復できる。白いしぶきを上げる不動滝やブナの雑木林が美しく、初夏の白ツツジや秋の紅葉なども見ごたえあり。

⬅土日祝と夏休み期間中はボブスレーも運営(雨天休止)

奈良県

小太郎岩キャンプ場

●こたろういわきゃんぷじょう

HP FB Instagram

奈良県曽爾村伊賀見1967-2

予約受付 利用日の90日前から
※予約はwebフォームからのみ、利用当日のみ電話予約可

TEL **0744-43-2222**(9:00〜12:00、13:00〜16:00)
問 MAIL **info@kotaroiwa.com**

利用期間 通年 ※週末・連休時のみ営業

in 10:00
out 15:00

名阪国道
「針」ICから

乗り入れ可能車種

普通車 キャンピングカー トレーラー

清流のせせらぎに耳を澄ませ 星空とたき火を満喫

紅葉の名所として知られる、青蓮寺川(しょうれんじがわ)沿いの名勝・小太郎岩の真下に2021年オープン。真新しい炊事棟やトイレなどの施設は清潔で、スピーカー禁止や夜間消灯などの心地良く過ごすためのルールが徹底されている。無料提供の廃木材で思う存分たき火が楽しめるのも魅力。ドッグランもあり、ワンコ連れキャンプもおすすめ。自然の中で時間を忘れてのんびり静かに過ごそう。

⬆木漏れ日が心地良いサイト。約100㎡でAC電源付き

CAMPING AREA

オートサイト	**28**区画(約7m×10m〜約11m×11m) ●AC電源付き:16区画 1泊6000円〜 ●AC電源なし:12区画 1泊5000円
サイトの状態	砂 土 芝生 その他
入場料	**無料** ※サイト利用料に含む
駐車料	**無料** (1台までサイト利用料に含む。2台目から普通車1台1000円)
モデル料金	大2 小2 1泊 ➡ **5000**円〜
その他	なし

➡目の前を流れる清流・青蓮寺川は奇岩が並び渓谷美の宝庫。夏は水遊びも楽しい

近隣スポット&所要時間(車)

温泉 「曽爾高原温泉お亀の湯」…約10分
買い物 「スーパーヤオヒコ名張店」…約20分
「道の駅 伊勢本街道 御杖」…約20分
遊び場 「曽爾高原」…約10分
病院 「曽爾村国民健康保険診療所」…約5分

施設
管理棟 コテージ等 売店 飲食店 自販機 レンタル 炊事場 洗濯機 乾燥機 AC電源 温水シャワー 風呂 洋式水洗 和式水洗 公衆電話 夜間照明

利用条件
デイキャンプ ゴミ捨て 直火 花火 ペット
※ワクチン接種済みのみ可。3頭まで
ゴミは袋・種類の指定あり。たき火はたき火台使用、指定エリアでのみ可

携帯電話
au docomo SoftBank

※売店10:00〜18:00 ※レンタルは延長コード・斧・ノコギリが可 ※管理棟周辺はWi-Fi利用可 ※トレーラーは応相談

カルディア・キャンプ場

川辺

●かるでぃあきゃんぷじょう

HP FB Instagram

奈良県五條市原町312

予約受付 夏休み期間前までは3月1日から・夏休み期間以降は6月1日から
※webフォームからも受付可

TEL 0747-22-7120
FAX 0747-22-7120

利用期間 通年

in 13:00
out 11:00

京奈和自動車道「五條北」ICから 車で約10分

乗り入れ可能車種

大自然の中で遊び尽くせるアクティビティが目白押し

大阪市内から車で1～2時間で着けるアクセスの良さと、すぐ隣を流れる紀の川（吉野川）で楽しめるラフティングやSUPなどのアクティビティが人気。場内にはスケートボード場もあり、ボードを持ち込んで遊べる。オートサイトには屋根付きサイトやグループ貸切サイトも用意され、大小様々なBBQハウスがあるのもうれしい。大浴場を備えたロッジには6～13人で泊まれる客室もあり、初心者も気軽にキャンプデビューできる。

⬆テントサイトは広々とした第2キャンプ場がメイン

⬅BBQ施設も充実。カゼボと呼ばれる小さめのものならプライベート感も満点

近隣スポット＆所要時間（車）

風　呂	「金剛乃湯」…約15分
買い物	「Aコープ下市店」…約10分
	「オークワ 大淀西店」…約10分
遊び場	「みたらい渓谷」…約40分
病　院	「五條病院」…約15分

CAMPING AREA

オートサイト	19区画（約8m×10m） ●AC電源付き:4区画 1泊5300円 ●AC電源なし:15区画 1泊3300円～
サイトの状態	砂　**土**　芝生　その他
入場料	大人350円・小中高生150円（施設利用料）
駐車料	無料 ※サイト利用料に含む
モデル料金	㊅2㊉2 1泊 ➡ 約4000円
その他	屋根付きグループサイト1区画:1泊12500円 バンガロー2棟:1泊18000円～ ロッジ1棟:1泊23000円～ コテージ1棟:1泊42000円～

携帯電話: au　docomo　SoftBank

利用条件

※リードでつなぎ、宿泊施設内は不可

ゴミは分別要。たき火はたき火台使用で可。花火は手持ちのみ可

施設

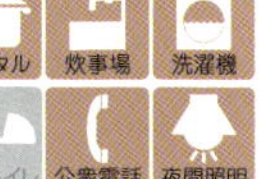

※売店9:00～18:00　※レンタルは寝袋・毛布・BBQ用具が可　※スケートボード場は雨天閉鎖、ボードは持込要

奈良県

オートキャンプ沢谷

山間

HP FB Instagram

●おーときゃんぷさわたに

奈良県吉野郡天川村沢谷67-1

予約受付 随時（利用当日の受付可）

TEL 0747-63-0836(9:00～21:00)

利用期間 3月1日～12月31日

in 13:30
out 11:00

西名阪自動車道「柏原」ICから

乗り入れ可能車種

普通車

キャンピングカー

トレーラー

⬆オートサイトは硬めで水はけのいい砂利。道具の準備を

水の国・木の国の自然を天ノ川のほとりで深呼吸

近畿の屋根とも呼ばれる大峰山脈の山々に囲まれ、冷涼な夏と紅葉の秋がベストシーズン。天ノ川の清流へは専用の階段で降りられ、浅瀬での水遊びのほか、アユのつかみ取り（予約要）も楽しめる。ハイキングにぴったりの雄大なみたらい渓谷や天の川温泉も近く、周辺の観光拠点としても最適。売店では薪や炭・氷・ビールを販売しているほか、レンタル用品も充実しているので、キャンプ初心者でも安心して過ごせそう。

➡天ノ川までは専用階段で下りられる。小さな子どもが遊びやすい浅瀬もあり流れはゆるやか

CAMPING AREA

オートサイト	**14**区画（約5m×10m） ●AC電源付き デイ利用1650円＋入場料 1泊3850円＋入場料（5人まで） ※デイ利用は11:00～18:00
サイトの状態	砂
入場料	大人**440**円・3～12歳**220**円
駐車料	普通車**550**円
モデル料金	㊫2㊏2　1泊 ➡ 約**5390**円
その他	バンガロー18棟:1泊12100円＋入場料 ※駐車料1台分を含む、5人までの利用の場合

近隣スポット＆所要時間（車）

- 温泉 「天の川温泉」…約5分
- 買い物 スーパー「オークワ」…約40分
- 遊び場 「みたらい渓谷」…約30分（徒歩）
- 病院 「南奈良総合医療センター」…約60分

施設：管理棟、コテージ等、売店、自販機、レンタル、炊事場、洗濯機、AC電源、温水シャワー、洋式水洗、和式水洗、夜間照明

利用条件：デイキャンプ、ゴミ捨て、花火、ペット ※小型犬のみ可（1匹1泊1000円）

ゴミ捨ては、指定袋220円を購入。花火は21:00まで、打ち上げ花火は不可

携帯電話：au、docomo、SoftBank

※管理棟9:00～22:00、売店9:00～22:00　※シャワーは3分100円　※レンタルはテント・タープ・寝袋・毛布・調理用具・BBQ用具・コンロ・テーブル&イス・釣り道具が可

フォレスト・イン 洞川キャンプ場

●ふぉれすといんどろがわきゃんぷじょう

奈良県吉野郡天川村洞川934-15

予約受付 利用日の4カ月前から ※予約はwebフォームからのみ（利用日の1日前まで）

問 TEL 0747-64-0757
問 FAX 0747-64-0757
問 MAIL nara_9898@yahoo.co.jp

利用期間 通年 ※12月26日～1月9日休

in 12:00
out 10:30

京奈和自動車道「御所南」ICから

乗り入れ可能車種

普通車 キャンピングカー トレーラー

静けさと自然を楽しむ滞在を 天川村観光の拠点としても

計130サイトが広がる大規模なキャンプ場。オートサイトのほか、利用料が手ごろなソロ専用サイトやウッディな雰囲気のバンガロー、屋根付き高床サイトなど、ニーズに応じてキャンプスタイルが選べる。木漏れ日が心地良い林間地で場内には小川が流れ、特に夏は爽やか。澄んだ空気の中、夜はまたたく星空に魅了される。近隣には懐かしい風情の洞川温泉や五代松鍾乳洞、面不動鍾乳洞といった観光スポットも充実。

↑きれいに整地・区画されたオートサイトは静かな林間

←場内を流れる小泉川沿いのサイトは爽やかさ満点。夏場はちょっとした水遊びもできる

近隣スポット＆所要時間（車）

温泉 「洞川温泉センター」…約5分
買い物 「菊田商店」「亀清」…約5分
遊び場 「洞川温泉街」…約5分
「五代松鍾乳洞」…約6分
病院 「天川村国民健康保険直営診療所」…約15分

CAMPING AREA

オートサイト	40区画（約5m×8m） ●AC電源なし デイ利用4400円・1泊5500円
サイトの状態	砂 土 芝生 その他
入場料	中学生以上440円・小学生220円
駐車料	無料 （1台目まで。2台目から普通車1台1000円）
モデル料金	大2 小2 1泊 ➡ 約6820円
その他	テントサイト90区画:デイ利用4400円・1泊5500円 バンガロー1棟:1泊13200円～

携帯電話
au docomo SoftBank

利用条件
デイキャンプ ゴミ捨て 直火 花火 ペット
※リードでつなぐこと
ゴミは指定袋を使用。たき火はたき火台使用で可。花火は手持ちのみ可

施設

※売店は8:00～19:00 ※レンタルはテント・寝袋・毛布・マット・炊事道具・食器セット・BBQ道具・テーブル・イス・暖房器具などが可 ※消灯は23:00

奈良県

白川渡 オートキャンプ場

HP FB Instagram

●しらかわどおーときゃんぷじょう

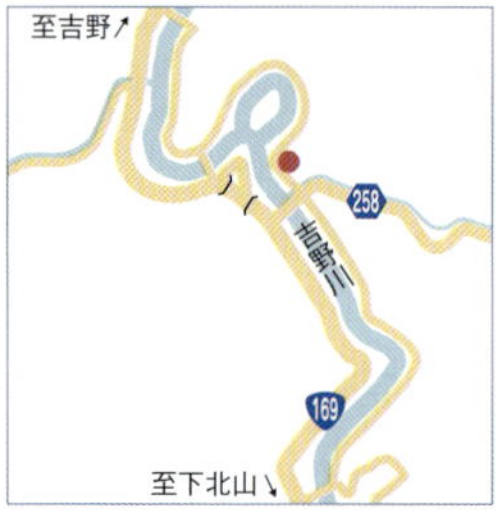

奈良県吉野郡川上村白川渡

予約受付 利用日の3カ月前から(利用当日の受付可)

TEL 0746-54-1700(9:00～16:00)

問 FAX 0746-54-0970

利用期間 通年

in 14:00
out 11:00

名阪国道
「針」ICから

乗り入れ可能車種

⬆吉野川沿い、国道からのアクセスも便利なオートサイト

水源の村の清らかな流れと 雄大な山並みに心を解き放つ

吉野川の源流にあり、清流と雄大な山並みに心身ともに解き放たれるロケーション。以前は芝の20サイトのみのこぢんまりしたキャンプ場だったが、砂地の80サイトも開設され、全AC電源付きで快適に過ごせる。正月のもちつき、夏期のアマゴつかみ取り、そうめん流しなど年5回開かれるイベントに合わせて訪れるのもいい。近隣には芸術村・匠の聚や森と水の源流館、不動窟鍾乳洞、御船の滝など奥吉野ならではの見どころも。

CAMPING AREA

オートサイト	100区画(約8m×8m～10m×10m) ●AC電源付き デイ利用・1泊とも3500円 ※デイ利用は9:00～17:00
サイトの状態	砂 土 芝生 その他
入場料	5歳以上300円(施設管理費)
駐車料	無料
モデル料金	大2 小2 1泊 ➡ 約4700円

その他 なし

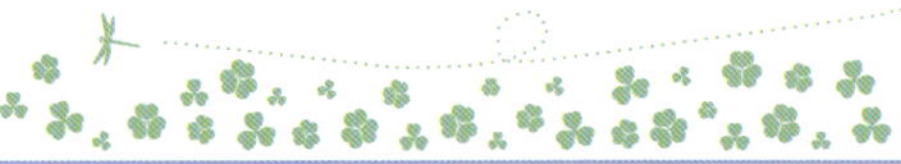

➡吉野川での水泳や川遊びは外せない。近くの渓流釣り場やダム湖で釣りもおすすめ

近隣スポット＆所要時間(車)

温　泉 「上北上温泉 薬師湯」…約25分
買い物 「ローソン」…約30分
スーパー「オークワ」…約35分
遊び場 「不動窟鍾乳洞」…約5分
病　院 「吉野病院」…約30分

※管理棟9:00～20:00　※レンタルはテント・タープ・寝袋・毛布・調理用具・BBQ用具・コンロ・テーブル&イスが可

なごみ村キャンプ場

●なごみむらきゃんぷじょう

川辺

HP FB Instagram

奈良県吉野郡天川村栃尾583

予約受付 随時（利用当日の受付可）

TEL 0747-65-0041（9:00〜20:00）

利用期間 通年

in 13:00
out 10:00

至国道309号線↑
GS
天の川温泉
天河大弁財天社
天ノ川
至国道168号線←
53
九尾ダム
栃尾観音
郵便局

南阪奈道路「葛城」ICから 車で約90分

乗り入れ可能車種

普通車 キャンピングカー トレーラー

天川村の自然に囲まれながら川遊びや釣りでリフレッシュ

川沿い約300mに渡って敷地が広がる。河原へはコンクリート舗装のスロープで降りられ、砂地もある浅瀬なので子どもも安心。少し歩けば釣りができる岩場もあり、夏はアマゴやアユ、ハヤのほか夜にはウナギがいることも。コテージの脇にはそのまま飲めるほどきれいな小川が流れ、6月下旬〜7月中旬頃にはホタルの舞う幻想的な光景に出合える。オートサイト以外のテントサイトは5区画。米や野菜、肉など食料がそろう売店もあり便利。

↑清流を望むコテージは全部で5タイプ。タイプによって広さや備品が異なる

←オートサイト区画には、水はけのよい砂利が敷かれる。ペグやハンマーなどの貸し出しもOK

近隣スポット＆所要時間（車）

- 風呂 「天川薬湯センター みずはの湯」…約15分 「天の川温泉」…約7分
- 買い物 「橋本商店」…約5分（徒歩）
- 遊び場 「みたらい渓谷」…約15分
- 病院 「南奈良総合医療センター」…約50分

CAMPING AREA

オートサイト	23区画（約5m×8m） ●AC電源付き:20区画 1泊5500円 ※AC電源使用は別途500円 ●AC電源なし:3区画 1泊5500円
サイトの状態	砂 土 芝生 その他 
入場料	バンガローは1人**1100**円（0歳は無料）
駐車料	**無料**（1サイト1台まで。2台目から普通車1台500円）
モデル料金	大2 小2 1泊 ➡ 約**5400**円 ※AC電源なしサイト利用の場合
その他	コテージ14棟:1泊22000円〜 バンガロー2棟:1泊10800円〜

携帯電話	利用条件	施設
au / docomo / SoftBank	デイキャンプ ゴミ捨て 直火 花火 ペット ※テントサイトで犬のみ可 指定ゴミ袋を使用。花火は21:00まで河原で可。デイ利用はサイト外の河原などで可	管理棟 コテージ等 売店 飲食店 自販機 レンタル 炊事場 洗濯機 乾燥機 AC電源 温水シャワー 風呂 洋式水洗 和式トイレ 公衆電話 夜間照明

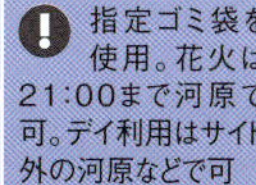

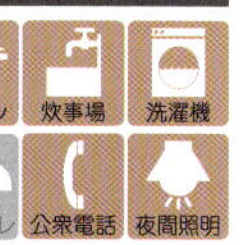

※管理棟9:00〜20:00、売店9:00〜20:00、飲食店11:00〜19:00　※レンタルはテント・タープ・寝袋・毛布・調理用具・BBQ用具・コンロ・テーブル&イスなどが可

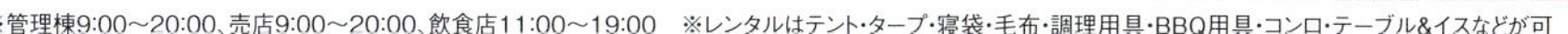

奈良県

天川みのずみオートキャンプ場

HP FB Instagram

●てんかわみのずみおーときゃんぷじょう

至黒滝　48　洞川温泉　洞川湧水群　面不動鍾乳洞　21　新川合トンネル　大峯山公園線　洞川温泉センター　五代松鍾乳洞　川合　53　309　GS　至国道168号線　天河大弁財天社　天の川温泉　至国道169号線

奈良県吉野郡天川村南角52

予約受付 利用日の3カ月前から(利用当日の受付可)

TEL **0747-63-0839**(9:00～12:45、15:00～18:00)

利用期間 3月中旬～12月29日

in 13:00～15:00 ※遅れる場合は要連絡

out 11:00

南阪奈有料道路「葛城」ICから

乗り入れ可能車種

普通車　キャンピングカー　トレーラー

ベテランキャンパーも納得の心地良いサイトと豊かな自然

天川村を流れる天ノ川に接するキャンプ場。「近畿の屋根」と呼ばれる大峰山脈の雄大な山々に囲まれる。段差と杉木立で区切られたプライベート感満点のオートサイトや、川を見下ろす一等地のデッキサイトなど、基本性能の高いサイトが魅力。バス・トイレ・キッチン完備の豪華なコテージや専用流しを備えたバンガローも家族に人気だ。天ノ川には専用の階段で下りることができ、川遊びや釣りが楽しめる。

↑玉砂利を敷き詰めたオートサイトは水はけと寝心地抜群

CAMPING AREA

オートサイト	**21**区画(約8m×9m) ●AC電源付き 1泊3300円～(別途シーズン割引あり) ※AC電源の使用は別途550円 ※デイ利用は9:00～17:00(問い合わせ要)
サイトの状態	砂　土　芝生　**その他**
入場料	大人**550**円・3歳～小学生**275**円
駐車料	**無料**(1台目まで。2台目から普通車1台550円)
モデル料金	大2 小2　1泊 ➡ 約**4950**円
その他	コテージ2棟:1泊19800円～ バンガロー6棟:1泊8800円～ デッキサイト2区画:1泊3300円～

➡キャンプ場の横を流れる天ノ川は、驚くほどの透明感。箱メガネ持参がおすすめ

近隣スポット＆所要時間(車)

温　泉「天の川温泉」…約10分
買い物 スーパー「オークワ」「ライフ」…約40分
遊び場「五代松鍾乳洞」…約20分
病　院「天川村国民健康保険直営診療所」…約5分
「南奈良総合医療センター」…約45分

施設

管理棟　コテージ等　売店　飲食店　自販機　レンタル　炊事場　洗濯機
乾燥機　AC電源　温水シャワー　風呂　洋式水洗　和式トイレ　公衆電話　夜間照明

利用条件

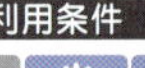
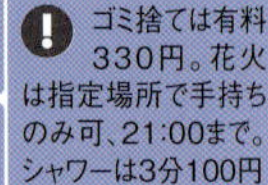

デイキャンプ　ゴミ捨て　直火　花火　ペット

※テントサイトのみ可。リードでつなぎ、マナーを守ること

ゴミ捨ては有料330円。花火は指定場所で手持ちのみ可、21:00まで。シャワーは3分100円

携帯電話

au　docomo　SoftBank

※管理棟・売店9:00～21:30

天の川 青少年旅行村

●てんのかわせいしょうねんりょこうむら

奈良県吉野郡天川村庵住

予約受付 随時(利用当日の受付可)

TEL **080-8526-2694**(9:00〜19:00)

利用期間 通年

in 15:00
out 11:00

南阪奈道路「葛城」ICから

乗り入れ可能車種

普通車 キャンピングカー トレーラー

大自然と静寂に包まれて 満天の星のもとで過ごす一夜

雄大な山々が連なる天ノ川中流域に位置し、静かで自然豊かな環境が魅力。川の美しさもさることながら、夜には満天の星空にうっとり。オートサイトは12区画と小規模ながら全サイトAC電源付きで、杉木立に囲まれ水はけも良く快適。コテージはバスやトイレ、大型のシステムキッチンも完備し、自宅のようにくつろげるとグループ利用に人気だ。管理棟では食材・ビール・炭を販売するほか、BBQセット・釣り具などのレンタル用品も充実。

⬆春は山桜、夏は川遊び、秋は紅葉と通年楽しめる

⬅オートサイトは段丘の杉木立に整地。川面は望めないが日陰が多いため涼しく快適だ

近隣スポット&所要時間(車)

温泉 「天川薬湯センター みずはの湯」…約5分
「天の川温泉」…約15分
買い物 スーパー「オークワ」「ライフ」…約50分
遊び場 「てんかわ天和の里」…約10分
病院 「南奈良総合医療センター」…約60分

CAMPING AREA

オートサイト	**12**区画(約5m×5m〜5m×8m) ●AC電源付き 1泊5000円〜
サイトの状態	砂 / 土 / 芝生 / その他
入場料	大人**500**円・小中学生**300**円(デイ利用時のみ)
駐車料	普通車**1000**円(デイ利用時のみ)
モデル料金	大2 小2 1泊 ➡ 約**5000**円

その他 コテージ14棟:1泊25000円〜
バンガロー8棟:1泊11000円〜
日帰りバーベキューハウス(4〜35人):
フリータイム(9:00〜18:00)は小学生以上1人1500円、駐車料500円(普通車)

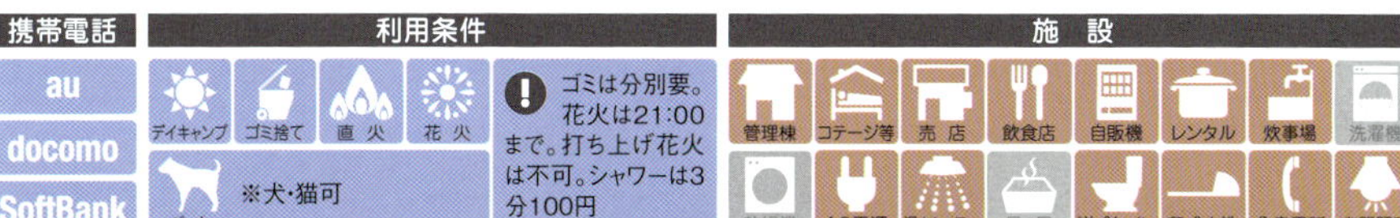

※管理棟24時間、売店8:00〜20:00、シャワー8:00〜21:00 ※レンタルはテント・敷布団・毛布・調理用具・BBQ用具・コンロが可 ※Wi-Fi利用可

奈良県

みよしのオートキャンプ場

●みよしのおーときゃんぷじょう

HP FB Instagram

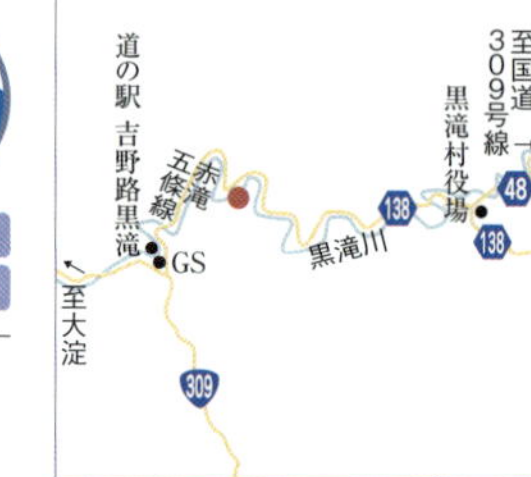

奈良県吉野郡黒滝村御吉野193

予約受付 利用日3カ月前の1日から(利用当日の受付可)

TEL 0747-62-2340(9:00〜18:00)

利用期間 通年 ※7〜9月を除く火・木曜休

in 12:00
out 11:00

南阪奈道路「葛城」ICから

乗り入れ可能車種

⬆開放感あるオートサイト。夜は空いっぱいの星を満喫

奈良のヘソと呼ばれる黒滝村の魅力がギュッと

奈良県の中央にあることから「奈良のヘソ」と呼ばれる黒滝村にある。大阪市内から車で約2時間ほどで、緑豊かな山々に囲まれた大自然を満喫できる。オートサイトは全てAC電源付きの区画サイト。場内にはログハウスや屋根付きのBBQハウスのほか、本格的な北欧サウナも。温泉や吊り橋のある「黒滝・森物語村」や鍾乳洞など、周辺には遊び場がいろいろあり、吉野山やみたらい渓谷といった奈良観光の拠点としてもぴったり。

CAMPING AREA

オートサイト	**35**区画(約7m×10m〜7.5m×12.5m) ●AC電源付き デイ利用2750円〜・1泊5500円〜
サイトの状態	砂 土 芝生 その他
入場料	大人**880**円・3歳〜小学生**550**円 ※ゴミ処理料を含む
駐車料	**無料**(1台目まで。2台目から普通車1台1100円)
モデル料金	㊅2㊥2 1泊 ➡ 約**8360**円 ※AC電源なしサイト利用の場合

その他 ログハウス4棟:1泊11000円〜

➡すぐ横を流れる黒滝川。浅いので子どもの水遊びや、サウナの後の水風呂代わりに

近隣スポット&所要時間(車)

温泉	「黒滝・森物語村」…約5分(徒歩)
買い物	「道の駅 吉野路黒滝」…約5分 スーパー「オークワ」「ライフ」…約30分
遊び場	「面不動鍾乳洞」「五代松鍾乳洞」…約25分
病院	「黒滝村国民健康保険診療所」…約5分

施設

管理棟 コテージ等 売店 飲食店 自販機 レンタル 炊事場 洗濯機 乾燥機 AC電源 温水シャワー 風呂 洋式水洗 和式水洗 公衆電話 夜間照明

利用条件

デイキャンプ ゴミ捨て 直火 花火 ペット

ゴミは分別要。打ち上げ花火・音が出る花火は不可。シャワーは6分200円

携帯電話

au docomo SoftBank

※管理棟・売店9:00〜18:00、風呂15:00〜21:00 ※レンタルはテント・タープ・寝袋・毛布・調理用具・BBQ用具・コンロ・テーブル&イスが可

Wakayama Campsite

和歌山県

和歌山県

円満地公園オートキャンプ場

HP FB Instagram

●えんまんじこうえんおーときゃんぷじょう

郵便局
色川小中学校
宝泰寺
43
那智勝浦古座川線
至国道42号線
至熊野川・古座川
円満地公園
45
↓至太地

和歌山県東牟婁郡那智勝浦町大野216

予約受付 利用日の6カ月前の1日から(利用当日の受付可)
※webフォームからも受付可(3日前まで)

問 TEL **0735-56-0771**(9:00～18:00)
FAX **0735-56-0771**

利用期間 通年

in 13:00 ※ログハウス・コテージ 15:00
out 11:00 ※ログハウス・コテージ 10:00

紀勢自動車道「**すさみ南**」ICから 車で約**90**分

乗り入れ可能車種

⬆ログハウスは全4棟。エアコン完備で快適

四季の遊びとイベントが豊富 南紀熊野の観光拠点にも

那智山の西麓。清流・太田川の河畔に設けられた公園内にあり、オートサイトと区画サイトのほか、コテージやログハウスも点在。春は桜、夏は川遊びやウォータースライダー、秋は味覚狩り、冬は満天の星空と四季折々の楽しみがある。桜祭りやプール開き、プールじまいといった季節のイベントも開催。熊野古道、勝浦温泉、那智の滝、串本の海などにも好アクセスで、南紀熊野の観光拠点としても役立つ。

CAMPING AREA

オートサイト	**14**区画(約6m×10m) ●AC電源付き デイ利用2500円～・1泊5000円～ ※デイ利用は9:00～18:00
サイトの状態	砂 土 **芝生** その他
入場料	**無料**
駐車料	**無料**

その他 コテージ5棟:1泊16500円～
ログハウス4棟:1泊9000円～
区画サイト23区画:デイ利用1500円～・1泊3000円～

モデル料金 大2小2 1泊 ➡ **約5000円**
※オートサイト利用の場合(サイト利用料)

レンタル テント・寝袋・毛布・調理用具・BBQ用具・コンロ・テーブル&イス

近隣スポット&所要時間(車)

温泉 「勝浦温泉」「湯川温泉」…約30分
買い物 「Aコープ」…約30分
遊び場 「太地くじら浜公園」…約30分
「串本海中公園」…約70分
病院 「温泉病院」…約30分

※管理棟9:00～18:00、売店9:00～17:00、風呂はGW・夏休み17:00～21:00、大人400円・小学生以下200円、その他の期間は貸し切り風呂1時間1500円(予約要)

⬆オートサイトは芝地でAC電源完備、大型車の乗り入れも可能。豊かな自然に包まれ、ゆったりと過ごせる

⬆6名まで利用できるコテージは、調理道具や冷蔵庫、エアコン、2段ベッドなどを備える。天井が高く開放的で、夏でも涼しい

プレイSpot

隣接する太田川は自然の宝庫。夏は子どもたちの水遊びにぴったりで、ムツやハヤなどの小魚も簡単に釣れる。6月には川のあちこちでホタルが見られる。

Memo

コテージ4棟とログハウス3棟はペットの入室OK。1区画だがドッグフリーサイトも用意されている。

南紀熊野の名産品も販売
事前予約で地元野菜や卵も

売店では日用品やキャンプ用品、食料品のほか、ジャムや天然塩、色川茶などの名産品、わらぞうりやカゴなどの民芸品も販売。事前予約すれば地元で採れた新鮮な無農薬野菜や卵も用意してくれる。

⬅人気のウォータースライダーは1日500円ですべり放題

和歌山県

ウッディ&リバーキャンプ場

●うっでぃあんどりばーきゃんぷじょう

和歌山県西牟婁郡白浜町宇津木303-1

予約受付 利用日の3カ月前から（利用日の1日前まで）
※webフォームからも受付可（1日前まで）

TEL 0739-53-0517（8:00～17:00）

問 FAX 0739-53-0518　問 MAIL info@woody-river.com

利用期間 3月中旬～11月30日

in 13:00
out 12:00

紀勢自動車道「日置川」ICから

乗り入れ可能車種

普通車　キャンピングカー　トレーラー

⬆敷地内の小川ではアユ・アマゴ釣りやつかみ取り体験も

豊かな緑と清流に囲まれた初めてにうれしい充実設備

南紀白浜の清流・日置川（ひきがわ）が目の前という抜群のロケーションと、約1万m^2の広大な敷地が魅力。AC電源付きの区画オートサイトやテントサイトは、きれいに整地された芝生。管理棟は24時間対応でトイレやシャワーも清掃が行き届き、キャンプセットやバーベキューコンロセット、調理用具などの基本的なレンタルも安価で充実。初心者も気軽に利用できる。水洗トイレや家電製品からジェット風呂まで備えたログハウスもある。

CAMPING AREA

オートサイト	4区画（約9m×10m） ●AC電源付き 1泊5500円
サイトの状態	砂　土　芝生　その他
入場料	無料
駐車料	無料

その他 高床式ログハウス 4棟:1泊11000円～
ログハウスD 3棟:1泊21000円～
テントサイト8区画:1泊3300円～
デイ利用の広場2区画:2750円～
※デイ利用は11:00～16:00

モデル料金 大2小2　1泊 ➡ 約5500円
※オートサイト利用の場合（サイト利用料）

レンタル テント・タープ・調理用具・BBQ用具・コンロ・テーブル&イス

近隣スポット＆所要時間（車）

温　泉 「えびね温泉」…約7分
買い物 スーパー「マツゲン」…約25分
「ローソン」…約30分
「道の駅 志原海岸」…約30分
病　院 「紀南病院」…約30分

施設

管理棟　コテージ等　売店　飲食店　自販機　レンタル　炊事場　洗濯機
乾燥機　AC電源　温水シャワー　風呂　洋式水洗　和式水洗　公衆電話　夜間照明

※管理棟24時間、売店8:00～20:00　※シャワーは無料

利用条件

デイキャンプ　ゴミ捨て　直火　花火

※犬のみ可。リードでつなぐこと

ゴミは分別要。音の出る花火・打ち上げ花火は不可。22:30以降は騒音・BBQ禁止

携帯電話

au　docomo　SoftBank

プレイSpot

日置川峡はアユ釣り場として有名で、秋はカエデやナラなどの紅葉が見もの。車で少し走れば、「えびね温泉」や日本の滝百選のひとつ「八草の滝」がある。

Memo

管理棟ではキャンプ用品や地元特産品を販売。炊事棟には12の調理場とコンロがある。

⬆ジェット風呂やテレビも付いて、別荘気分で過ごせるDタイプの快適ログハウス。天窓があり、星空を眺めながら眠ることもできる

⬆雄大な山々を望み、広々とした芝生の上でキャンプができるオートサイト。シャワー・トイレ棟も近くにある

➡高床式ログハウスは建物の下がバーベキュースペースに

CHECK!

カヌー、釣り、ダイビング…自然と触れ合う体験を

カヌーや釣り、ホタル鑑賞、スキューバダイビングなど、大自然の中で様々なイベントが楽しめる。また本藍染めやソーセージ作りといった体験教室も開催。一部イベントは7日前までに予約要。

和歌山県

オートキャンプ場 グランパスinn白浜

●おーときゃんぷじょうぐらんぱすいんしらはま

HP FB Instagram

和歌山県西牟婁郡白浜町瓜切2927-1689

予約受付 利用日の4カ月前から
※予約はwebフォームからのみ(利用日の1日前まで)

問 TEL **0739-42-2102**(9:00～21:00)

利用期間 通年

in 14:00
out 12:00

阪和自動車道
「南紀田辺」ICから

乗り入れ可能車種

普通車　キャンピングカー　トレーラー

⬆心地良い海風が吹く高台でのんびりと時間が過ごせる

白浜観光とアウトドアを目いっぱい楽しむ欲張り施設

夕景が美しい名勝・千畳敷や断崖の絶景・三段壁から徒歩約5分。ホテルや日帰り温泉などが集まるグランパスinn白浜内にあり、アウトドアと観光を両方満喫したい人にぴったりだ。高台に位置するオートサイトは、白浜の海を一望する開放感いっぱいのロケーションが魅力。20台のトレーラーハウスやロフト付きのロッジ、プライベート空間で楽しめるパオなどの宿泊施設も豊富にそろい、好みのスタイルで過ごせる。

CAMPING AREA

オートサイト	**34**区画(約8m×8m) ●AC電源付き:14区画 1泊6000円～ ●AC電源なし:20区画 1泊5000円
サイトの状態	砂　土　芝生　その他
入場料	大人**500**円・小学生**300**円
駐車料	**無料**
その他	パオ1棟:1泊20000円 トレーラーハウス11台:1泊15000円～ ロッジ3棟:1泊8000円～

モデル料金 ㊅2㊈2 1泊 ➡ 約7000円
※AC電源なしオートサイト利用の場合
(サイト利用料+入場料)

レンタル 寝袋・毛布・調理用具・BBQ用具・コンロ・テーブル&イス

近隣スポット＆所要時間(車)

買い物 「ファミリーマート」…約5分
スーパー「イオン」…約5分

遊び場 「白良浜海水浴場」…約5分
「アドベンチャーワールド」…約10分

病院 「白浜はまゆう病院」…約5分

施設

管理棟　コテージ等　売店　飲食店　自販機　レンタル　炊事場　洗濯機
乾燥機　AC電源　シャワー　風呂(温泉)　洋式水洗　和式トイレ　公衆電話　夜間照明

利用条件

デイキャンプ　ゴミ捨て　直火　花火

ゴミは分別要

ペット ※小型犬のみ可。リードでつなぐこと。事前連絡要

携帯電話

au
docomo
SoftBank

※管理棟9:00～22:00、飲食店7:00～9:00・18:00～21:00、風呂(温泉)15:00～22:00、火曜休、大人600円・小学生400円

⬆広大な太平洋に落ちる美しい夕日を眺めながらアウトドアを満喫

⬆海を望む絶好のロケーションでワイワイ楽しめるBBQテラス(3～11月末に利用可)。食材の購入もでき、手ぶらでもOK

プレイSpot

白砂の海水浴場・白良浜へ徒歩15分。また、パンダのいるアドベンチャーワールドは車で約10分で、動物におやつをあげるなど触れ合いアトラクションが充実。

Memo

趣が異なる3種類のトレーラハウスやウッディーなロッジ、パオなど遊び心ある宿泊施設も。

CHECK!

温泉や飲食店も敷地内に快適アウトドアライフ

遊歩道やホテル、温泉などもある広々とした敷地内には、地元漁師が作る漁師汁などが味わえるレストランや、コインランドリーまで完備。アウトドアを楽しみつつ快適な滞在ができる。

⬅キャンプ利用者はホテル棟の温泉が利用可能

和歌山県

紀美野町のかみふれあい公園オートキャンプ場

HP FB Instagram

●きみのちょうのかみふれあいこうえんおーときゃんぷじょう

和歌山県海草郡紀美野町西野971-1

予約受付 利用日の2カ月前の1日から
※電話で問い合わせ後、ハガキで申し込み（利用日の7日前必着）

問 TEL 073-489-5300（9:00～17:00）
問 FAX 073-489-5311

利用期間 通年 ※火曜休

in 13:00
out 11:00

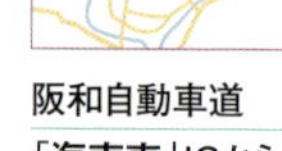

阪和自動車道「海南東」ICから 車で約30分

乗り入れ可能車種

普通車

キャンピングカー

トレーラー

↑わんぱく広場に設置された巨大なすべり台は迫力満点

アウトドア入門に最適 快適設備と1日遊べる公園

海南市の街中から少し上がった高台の、ふれあい公園内。20区画あるオートサイトはAC電源が完備され、炊事棟・温水シャワーもそろい快適に利用できる。和泉山脈を望む見晴らし抜群のバーベキューサイトも魅力。管理棟を兼ねた「ふれあい館」では、地元農家からの新鮮な野菜や果物が並び、地場産品のお土産も求められる。カレーライスなどの軽食やデザートが味わえるカフェもあり、アウトドア入門にはぴったりのキャンプ場だ。

CAMPING AREA

オートサイト	20区画（約11m×11m） ●AC電源付き デイ利用2050円・1泊3080円 ※デイ利用は10:00～17:00
サイトの状態	砂 土 **芝生** その他
入場料	大人**620**円・ 4歳～中学生**410**円
駐車料	**無料**
その他	なし

モデル料金 大2 小2 1泊 ➡ 約5000円
※オートサイト利用の場合（サイト利用料＋入場料）

レンタル なし

近隣スポット＆所要時間（車）

風呂 「美里の湯 かじか荘」…約35分
買い物 スーパー「オークワ」「松原」…約20分
「セブンイレブン」「ローソン」…約15分
遊び場 「和歌山マリーナシティ」…約30分
病院 「国保 野上厚生総合病院」…約20分

施設

管理棟 / コテージ等 / 売店 / 飲食店 / 自販機 / レンタル / 炊事場 / 洗濯機 / 乾燥機 / AC電源 / 温水シャワー / 風呂 / 洋式水洗 / 和式水洗 / 公衆電話 / 夜間照明

利用条件

デイキャンプ / ゴミ捨て / 直火 / 花火
シャワーは5分200円
ペット ※リードでつなぐこと

携帯電話

au / docomo / SoftBank

※管理棟8:45～17:30（夜間警備あり）、売店9:00～17:00、飲食店9:00～17:00

プレイSpot

公園内に、子どもに大人気の大型アスレチックを備えた「わんぱく広場」、36ホールの「パークゴルフ場」がある。犬と遊べる「動物愛護センター」も隣接。

Memo

開放感あふれる高台ながら、コンビニもスーパーも車で20分圏内と買い出しにも便利。

⬆広さ約1万m^2の芝生ひろば。柔らかい芝の上ではピクニックや鬼ごっこ、ボール遊び、冬にはたこ揚げなど、のびのび遊べる

⬆オートサイトは1区画約11m×11mと広めで、開放感たっぷり。地面は芝生できれいに整地されている

➡地場産品や地元のとれたて野菜などが買える「ふれあい館」

CHECK!

子ども大人も夢中になる巨大アスレチック

「わんぱく広場」には、すべり台やフリークライム、吊り橋などが組み合わせられたコンビネーション遊具「ノアディ城」があり、幼児から大人まで楽しめる。すぐそばの展望台からの眺めも圧巻。

和歌山県

休暇村紀州加太オートキャンプ場

HP FB Instagram

●きゅうかむらきしゅうかだおーときゃんぷじょう

和歌山県和歌山市深山483

予約受付 利用日の6カ月前から(利用当日の受付可)

問 TEL 073-459-0321(9:00〜21:00)
FAX 073-459-0815

利用期間 通年

in 13:00
out 11:00

阪和自動車道
「泉南」ICから

乗り入れ可能車種

普通車

キャンピングカー

トレーラー

⬆炊事棟には水道のほか、かまども設置されている

海と山の自然に囲まれて 家族で快適キャンプを

目の前の紀淡海峡から淡路島や、天気のいい日は遠く四国まで望める「休暇村 紀州加太」の中。20区画と小規模ながら、整地された土のオートサイトは約10m×10mと広くAC電源付き。トイレやシャワーなどのサニタリー施設も清潔に保たれている。海が一望できる露天風呂を備えた休暇村本館の大浴場も利用OK。関西国際空港が近いため、頭上を通過する飛行機ウォッチングを楽しんでみるのもいい。

CAMPING AREA

オートサイト	**20**区画(約10m×10m) ●AC電源付き デイ利用2000円+管理費 1泊4000円+管理費 ※デイ利用は11:30〜16:00
サイトの状態	砂 / **土** / 芝生 / その他
入場料	4歳以上**600**円(管理費)
駐車料	**無料**
その他	休暇村本館72室:1泊14000円〜 ※休暇村本館は車で約2分

モデル料金 大2 小2 1泊 ➡ 約6400円
※オートサイト利用の場合
(サイト利用料+入場料)

レンタル なし

近隣スポット&所要時間(車)

- 買い物 「ローソン」…約10分
- 遊び場 「和歌山城」…約30分
  「紀三井寺」…約45分
  「和歌山マリーナシティ」…約50分
- 病院 「和歌山ろうさい病院」…約15分

施設

管理棟 / コテージ等 / 売店 / 飲食店 / 自販機 / レンタル / 炊事場 / 洗濯機 / 乾燥機 / AC電源 / 温水シャワー / 風呂 / 洋式水洗 / 和式水洗 / 公衆電話 / 夜間照明

利用条件

デイキャンプ / ゴミ捨て / 直火 / 花火 / ペット

❗ゴミは分別要。シャワーは5分300円

※マナーを守ること

携帯電話

au / docomo / SoftBank

※管理棟13:00〜17:00、売店13:00〜17:00、風呂は本館にて15:00〜20:00、大人800円・4歳〜小学生500円

⬆周りを山に囲まれたキャンプ場で、春は桜、初夏は幻想的に舞うホタルの姿やアジサイを観賞できる

⬆車で2分ほどの本館にある大浴場も利用できる。眼下に紀淡海峡が広がる、備長炭入りの露天風呂は絶景。サウナも楽しめる

プレイSpot

施設内にはのびのび遊べる芝生広場があるほか、海が近く海水浴や釣りもできる。砲台跡や灯台で知られる友ヶ島へは加太港から連絡船で。

Memo

管理棟内に売店があり、バーベキュー用の炭や薪・氷・飲み物類などが購入できて便利。

CHECK!

食材や朝食に露天風呂まで1日3組限定のおトクなセット

バーベキューの食材と、休暇村本館の朝食バイキング・入浴（1回）が付いたおトクなプラン（大人12500円・小学生8000円・幼児6000円）あり。片付けやゴミの心配なく気軽にキャンプに出かけられる。

⬅オートサイトは約１００m^2の区画サイズでゆったり使える

和歌山県

新宮市 小口キャンプ場

●しんぐうしこぐちきゃんぷじょう

HP FB Instagram

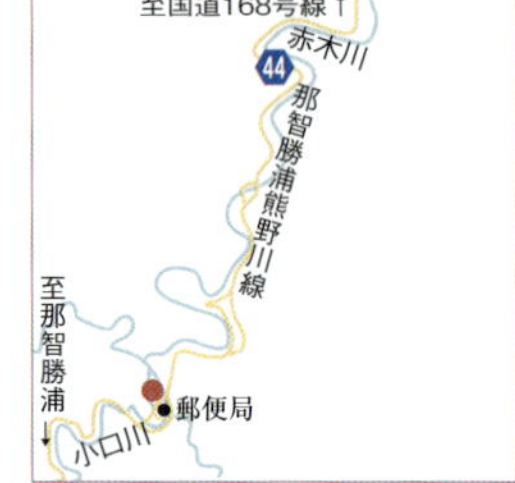

和歌山県新宮市熊野川町西5

予約受付 利用日の3カ月前から(利用当日の受付可)

問 TEL **0735-45-2232**(9:00～17:00)
MAIL **sizen@zc.ztv.ne.jp**

利用期間 4月1日～10月31日

in 14:00
out 11:00

阪和自動車道「南紀田辺」ICから 車で約90分

乗り入れ可能車種

普通車 キャンピングカー トレーラー

⬆眼前を流れる和田川。絶景の渓谷ハイキングもおすすめ

川遊びに古道散策 熊野の自然を遊ぶ起点に

澄んだ水が流れる和田川と小口川の合流点に位置し、流れを使って遊ぶキャニオニングや水泳、釣りなど川遊びを存分に楽しむには絶好のロケーション。熊野古道のなかでも人気の中辺路・大雲取越・小雲取越の中間点にあたり、雄大な熊野の自然と歴史に触れる街道ウォーキングの拠点にもなる。オートサイトは約10m×10mと広めでAC電源完備。生け垣に囲まれているため、繁忙期も隣を気にせず快適に過ごせるのがうれしい。

CAMPING AREA

オートサイト	**38**区画(約10m×10m) ●AC電源付き デイ利用2000円・1泊3800円 ※デイ利用はGW・お盆など繁忙期を除く 10:00～17:00
サイトの状態	砂 土 **芝生** その他
入場料	大人**500**円・小学生以下**300**円
駐車料	**無料**
その他	なし

モデル料金 大2 小2 1泊 ➡ 約5400円
※オートサイト利用の場合
(サイト利用料+入場料)

レンタル なし

近隣スポット＆所要時間(車)

- 温泉 「湯の峰温泉」「雲取温泉」…約40分
- 買い物 「イオン」…約30分
- 遊び場 「熊野古道(大雲取越・小雲取越)」…約5分(徒歩)
- 病院 「熊野川診療所」…約10分

※管理棟9:00～17:00

プレイSpot

瀞峡の観光船・ウォータージェットの志古乗船場は車で約20分。奇岩と断崖が続く渓谷美を狙ってプロカメラマンも多く訪れる。とっておきの記念写真を残そう。

Memo

利用は家族限定で、若者グループなどは不可。静かな場内で親子の触れ合いのひとときが過ごせる。

⬆炊事棟の脇にはちょっとしたアスレチック風の遊具があり、調理をしながら目の届く場所で子どもを遊ばせておける

⬆生け垣が整然と取り囲むオートサイト。独立感が高いため、複数グループよりも1家族でのキャンプが最適

➡手入れの行き届いた炊事場と洗面所。出るのは水のみ

CHECK!

本格アウトドア派は足下を固めて滝めぐりを

近隣には名瀑が多く、豊かな水量と落差51mの高さを誇る「宝龍の滝」や、屛風を立てたような「瀞の湾どの滝」、「部屋滝」「筆藪の滝」などが点在している。靴や服装をしっかり準備して訪れたい。

和歌山県

WATAZE OUTDOOR おとなしの郷

●わたぜあうとどあおとなしのさと

和歌山県田辺市本宮町渡瀬45-3

予約受付 利用日の5カ月前から

TEL 0735-42-1777(9:00～21:00)

利用期間 通年 ※祝日・年末年始・GW・お盆を除く木曜休

in 10:00 ※予約サイト 12:00、コテージ 14:00

out 10:00 ※予約サイト 11:00、コテージ 10:00

近畿自動車道紀勢線「上富田」ICから 車で約60分

乗り入れ可能車種

普通車　キャンピングカー　トレーラー

⬆サイトの目の前を流れる川では釣りや水遊びが楽しめる

世界遺産近くの川沿いで大自然と温泉に癒やされる

世界遺産・熊野本宮大社からほど近い場所にあり、場内にはオートサイトに加え、テントサイトや全10棟のコテージが用意されている。川沿いにあるサイトは全てAC電源付きで、2021年には全天候型のBBQスペースやコワーキングスペース、ランドリーブースが新設された。併設の温泉が入り放題なのもうれしい。澄んだ空気の中、川のせせらぎや鳥のさえずりを聞きながら、街の喧騒を忘れてゆっくり過ごせる。

CAMPING AREA

オートサイト	**12**区画(約9m×9m) ●AC電源付き デイ利用・1泊とも1500円 ※日によって変動あり
サイトの状態	砂　土　芝生　その他
入場料	大人**2450**円(二輪車の場合は1750円)・3歳～小学生**900**円
駐車料	**無料** ※入場料に含む
その他	テントサイト約30区画:1泊1750円～ コテージ10棟:1泊11000円～

モデル料金 (大)2(小)2
1泊 ➡ 約10300円～
(サイト利用料+入場料)

レンタル 毛布・調理用具・BBQ用具・コンロ・テーブル&イス

近隣スポット＆所要時間(車)

- 買い物 「Yショップしもじ本宮店」…約6分
- 遊び場 「熊野本宮大社」…約8分
- 「熊野本宮大社 大斎原」…約8分
- 「熊野和紙体験工房 おとなし」…約7分
- 病　院 「熊野川診療所」…約20分

施設

管理棟　コテージ等　売店　飲食店　自販機　レンタル　炊事場　洗濯機
乾燥機　AC電源　温水シャワー　風呂(温泉)　洋式水洗　和式水洗　公衆電話　夜間照明

※管理棟・売店9:00～21:00

利用条件

デイキャンプ　ゴミ捨て　直火　花火

ペット ※犬・猫のみ可。リードにつなぎ、マナーを守ること。連休時は複数頭不可

ゴミは分別し指定の場所へ。たき火はたき火台使用で可。花火は手持ちのみ可

携帯電話

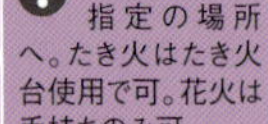

au　docomo　SoftBank

⬆熊野古道沿いの四村川(よむらがわ)のほとり。春は桜、夏は釣りや川遊び、秋は紅葉と四季折々の楽しみ方を満喫

⬆コテージはトイレ・キッチン・寝具・エアコンが完備。煩わしい準備が不要でファミリーや長期滞在におすすめ

プレイSpot

車で約7分の場所にある「熊野和紙体験工房 おとなし」では、田辺市本宮町で生産される伝統和紙「音無紙(おとなしがみ)」の紙すきを体験。

Memo

場内全域でWi-Fi利用可。コワーキングスペースもあるのでワーケーション利用にも。

CHECK!

キャンプ常連者も驚く 物販・レンタルアイテム

物販・レンタル品のラインナップにも注目。キャンプ好きの仕入れ担当がセレクトしたレンタル品は、ピザ窯やソロストーブまでそろう県内随一の充実ぶりで、熟練のキャンパーにも好評だそう。

⬅人気のテントサウナ。サウナポンチョや水着のレンタルもできる

和歌山県

野口オートキャンプ場

HP FB Instagram

●のぐちおーときゃんぷじょう

和歌山県御坊市野口 日高川河川敷内

予約受付 利用日の3ケ月前から

問 TEL **0738-23-5669**(8:15～17:00)
MAIL **fureai@city.gobo.lg.jp**

利用期間 通年 ※12月28日～1月3日休

in 11:00
out 10:00

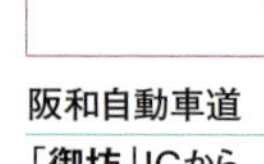

阪和自動車道
「**御坊**」ICから

乗り入れ可能車種

普通車 キャンピングカー トレーラー

⬆キャンプ場の横を流れる日高川で川遊びも楽しめる

広々とした芝生でのんびり アクセスや買い出しも便利

日高川の河川敷に広がる美しい芝生とゆったりしたサイトで、のびのびキャンプを楽しめる。近隣にはスーパーやホームセンター、コンビニなどがそろい、食材などの現地調達も可能。1日1組限定のプライベートドッグラン(約20m×25m)付きサイトは、愛犬も満足の広さ。ダンプステーションも完備され、大型キャンピングカーでの利用も快適だ。和歌山県の中心部に位置するので、ここを観光拠点としてあちこち出かけるのも楽しい。

CAMPING AREA

オートサイト **19**区画(約10m×15m～約12m×20m)
+フリーサイト(約30台)
●AC電源付き:19区画
デイ利用2250円～・1泊4500円～(5人まで)
●AC電源なし:フリーサイト(約30台)
デイ利用1500円～・1泊3000円～(5人まで)
※デイ利用は11:00～17:00

サイトの状態 砂 土 芝生 その他

入場料 無料

駐車料 無料

モデル料金 ㊅2㊚2 1泊 ➡ 約**3000**円～
※AC電源なしオートサイト利用の場合

その他 なし

➡きれいな洗い場には温水蛇口もあるので、冬キャンプでも安心して利用できる

近隣スポット&所要時間(車)

風呂 「野天風呂 宝の湯」…約6分
買い物 「丸仁商店」…約8分
「オークワ ロマンシティ 御坊店」…約10分
遊び場 「道成寺」…約7分
病院 「ひだか病院」…約8分

※管理棟8:15～17:00 ※レンタルはテント・タープテント・BBQグリル・テーブル&イスが可 ※花火は手持ちのみ可 ※たき火はたき火台使用で可

生石高原キャンプ場

高原

HP FB Instagram

●おいしこうげんきゃんぷじょう

和歌山県海草郡紀美野町中田899-29

予約受付 利用日の前月の1日から

TEL **073-489-3586**(9:30〜16:30)

利用期間 通年 ※気象警報発令時などには臨時休業あり

in 15:00
out 11:00

180
184
至国道480号線
至県道183号線

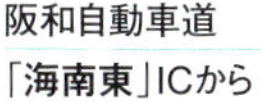
阪和自動車道
「海南東」ICから

車で約50分

乗り入れ可能車種

普通車　キャンピングカー　トレーラー

天空のキャンプ場で大パノラマを満喫!

標高約870mの山上にある生石高原。晴天時には兵庫県の六甲山や淡路、四国まで見渡すことができる眺望が魅力。夜は満天の星、早朝には雲海が見えることも。2022年4月のリニューアルで各サイトが広くなり、絶景がよりゆったり堪能できるように。山頂では約13haものススキの大草原が美しい光景を見せてくれる。ハイキングコースも整備されているのでぜひ散策を。歩き疲れたら山頂付近のレストランでひとやすみもできる。

⬆眼下に広がる山々を眺めつつ心静かに過ごすのもおすすめ

⬅フォトジェニックなスポットとしても人気の火上げ岩。記念写真は風に注意して

近隣スポット＆所要時間(車)

風　呂 「美里の湯 かじか荘」…約30分
買い物 「オークワ 海南野上店」…約25分
「ファミリーマート」…約25分
病　院 「岩橋医院」…約20分

CAMPING AREA

オートサイト	**12**区画(約7m×8m) ※サイトにより異なる ●AC電源あり デイ利用2310円(土日祝は3300円)・ 1泊3850円(土日祝とその前日は5500円) ※デイ利用は11:00〜15:00
サイトの状態	砂 土 芝生 その他
入場料	**無料**
駐車料	**無料**
モデル料金	㊅2 ㊇2　1泊 ➡ 約**5500**円
その他	小区画サイト4区画:デイ利用は770円(土日祝は1100円)・1泊1540円(土日祝とその前日は2200円)

携帯電話	利用条件	施設
au docomo SoftBank	デイキャンプ　ゴミ捨て　直火　花火 ペット	管理棟　コテージ等　売店　飲食店　自販機　レンタル　炊事場　洗濯機 乾燥機　AC電源　シャワー　風呂　洋式水洗　和式水洗　公衆電話　夜間照明

※管理棟・飲食店・売店・自販機9:30〜16:30

田辺川湯キャンプ場

HP　FB　Instagram

●たなべかわゆきゃんぷじょう

和歌山県田辺市本宮町川湯1288

予約受付　予約不可

問 TEL 0735-42-1168(8:00〜18:00)

問 FAX 0735-42-1168

利用期間　通年

in　8:00
out　18:00

紀勢自動車道
「上富田」ICから

乗り入れ可能車種

⬆熊野川の支流のひとつ、清流・大塔川で水遊びを満喫しよう!

清流で思いっきり遊んだ後は 河原の即席温泉で癒やされる

大塔川(おおとうがわ)の河原にテント設営ができるキャンプ場。BBQをしたり、釣りや川遊びを楽しんだりできるので、ファミリーや友人とのキャンプにぴったり。河原は直火OKなので夜はキャンプファイアーも。場内では新鮮な地元野菜や間伐材を使用した薪なども販売。徒歩圏内には川原を掘れば自分だけの温泉が堪能できる川湯温泉も。12〜2月には大露天風呂「仙人風呂」もオープンするので、冬キャンプの楽しみに。

CAMPING AREA

オートサイト	フリーサイト(約200台) ●AC電源なし デイ利用・1泊とも入場料+駐車料 ※デイ利用は4時間まで
サイトの状態	砂　土　芝生　その他
入場料	大人**700**円・0歳〜小学生**400**円 ※デイ利用は大人500円・0歳〜小学生300円
駐車料	普通車**700**円(デイ利用は500円) ※バイクはデイ利用・1泊とも200円
モデル料金	㊅2㊉2　1泊 ➡ 約**2900**円
その他	芝生フリーサイト30区画:デイ利用・1泊とも入場料+駐車料

➡山際のサイトもあり、秋は紅葉を眺めつつしっぽりキャンプを楽しんでも

近隣スポット&所要時間(車)

温　泉　「川湯公衆浴場」…約2分
「わたらせ温泉」…約5分

買い物　「道の駅 奥熊野古道ほんぐう」…約15分
「ヤマザキ Yショップしもじ」…約5分

遊び場　「熊野本宮大社」…約8分

施設

管理棟　コテージ等　売店　飲食店　自販機　レンタル　炊事場　洗濯機　乾燥機　AC電源　シャワー　風呂　洋式水洗　和式水洗　公衆電話　夜間照明

利用条件

デイキャンプ　ゴミ捨て　直火　花火

ペット　※犬・猫のみ可。マナーを守ること

ゴミは分別要。直火は砂利のサイトのみ可

携帯電話

au　docomo　SoftBank

※売店8:00〜17:00　※夜間照明は芝生フリーサイトのみ

毛原
オートキャンプ場

●けばらおーときゃんぷじょう

HP FB Instagram

和歌山県

和歌山県海草郡紀美野町小西187

予約受付 利用月の3カ月前から
※予約はwebフォームからのみ(利用日の1日前まで)

問 TEL **073-498-0102**(かじか荘 9:00〜20:00)
問 FAX **073-498-0333**

利用期間 通年

in 12:00
out 10:00

阪和自動車道
「海南東」ICから

乗り入れ可能車種

普通車 キャンピングカー トレーラー

清潔感いっぱいの設備とゆったり使える広さが魅力

あずまや付きのオートサイトは1区画約100m²と、大きめテントもゆったりと張れ、大人数でもくつろげる快適サイズ。どのサイトも目の前に緑の芝生広場が広がる。バリアフリーも完備された水洗トイレや、掃除の行き届いた炊事棟などの施設が効率的に配置された敷地は、こぢんまりと使い勝手がいい。レンタル品のある管理棟では、管理人がいる時間なら湯沸かしポットや電子レンジも利用できる。風呂は車で約10分の旅館の外湯へ。

⬆初夏にはホタルが舞い、美しい星空が見られる

⬅写真右の管理棟では、テントや調理器具などのレンタル品や、販売品を用意

近隣スポット＆所要時間(車)

風　呂 「美里の湯 かじか荘」…約10分
買い物 スーパー「オークワ」…約30分
遊び場 「みさと天文台」…約20分
「高野山」…約40分
病　院 「長谷毛原診療所」…約3分

CAMPING AREA

オートサイト	**14**区画(約10m×10m) ●AC電源なし デイ利用2860円・1泊3300円 ※デイ利用は11:00〜17:00
サイトの状態	砂 土 **芝生** その他
入場料	1泊 大人**500**円・4歳〜中学生**250**円 デイ利用 大人**400**円・4歳〜中学生**200**円
駐車料	**無料** ※オートサイト2台、テントサイト1台までサイト利用料に含む
モデル料金	大2 小2 1泊 ➡ 約**4800**円
その他	テントサイト6区画:デイ利用1760円・1泊2200円

携帯電話

au
docomo
SoftBank

利用条件

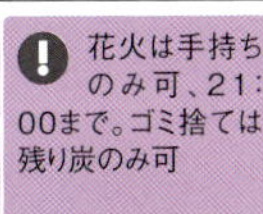

施設

※管理棟10:00〜17:00、売店11:00〜17:00 ※レンタルはテント・BBQ用具が可

和歌山県

神野々緑地キャンプ場

HP FB Instagram

●こののりょくちきゃんぷじょう

和歌山県橋本市神野々1225先

予約受付 利用日の3カ月前から
（宿泊は1日前まで、デイ利用は当日の受付可）

TEL **090-9217-5804**（10:00〜17:00）

利用期間 1月6日〜12月25日 ※11〜3月はデイ利用のみ

in 10:00
out 10:00

京奈和自動車道「橋本」ICから

乗り入れ可能車種

⬆快適な芝生のサイト。開放感たっぷりの広さがうれしい

市街に近く初心者も安心 地元の食材も気軽に買い出し

清流・紀の川の河川敷。開放的な空間に1区画約100m²の広いサイトが設置され、ゆったりと利用できる。無料駐車場には車を複数台駐められ、グループでの利用にもぴったり。施設は共同の炊事場とトイレのみとシンプルだが、市街地に近く、食材やグッズの買い出しに便利なのが魅力的。慣れない人も安心して利用できる。バーベキューなどのデイキャンプや、併設のグラウンドゴルフで遊ぶのもおすすめだ。

CAMPING AREA

オートサイト	**22**区画（約10m×10m） ●AC電源なし デイ利用2500円・1泊3750円 ※デイ利用は4〜10月10:00〜20:00、11〜3月10:00〜17:00
サイトの状態	砂 土 **芝生** その他
入場料	**無料**
駐車料	**無料**
モデル料金	大2 小2 1泊 ➡ 約**3750**円

その他 なし

➡共同流し台はシンプル。低めの流しもあるので、子どもたちのお手伝いにももってこい

近隣スポット＆所要時間（車）

温泉 「天然温泉ゆの里」…約3分
買い物 「JA紀北かわかみファーマーズマーケットやっちょん広場」…約3分
遊び場 「真田庵」「橋本市運動公園」…約10分
病院 「紀和病院」…約3分

※管理棟は24時間（宿泊がある場合のみ） ※レンタルはタープ・BBQ用具・グラウンドゴルフセットが可

ふれあいの丘 オートキャンプ場

●ふれあいのおかおーときゃんぷじょう

和歌山県有田郡有田川町清水585

予約受付 利用日の3カ月前から(利用当日の受付可)
※webフォームからも受付可(2カ月前から1日前まで)

問 TEL **0737-25-1470**(9:00～17:00)
MAIL **shimizuinfo@shimizu-onsen.ne.jp**

利用期間 通年

in 14:00
out 12:00

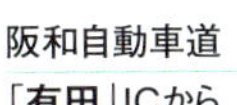
阪和自動車道
「有田」ICから

乗り入れ可能車種

普通車 キャンピングカー トレーラー

家族と一緒に ゆっくり過ごせる充実設備

清流・有田川(ありだがわ)沿いの敷地に、一部キャンピングカーもOKのサイト23区画を設置。全てAC電源付きで水道を備えたサイトもあり、キャンプ初心者でも快適に過ごせる。敷地内には、ゆったりスペースの共同炊事場やきれいな洋式水洗トイレ、温水シャワーを完備。夏には有田川での水遊びを満喫したり、夜になれば満天の星を鑑賞したりと、家族で充実したアウトドア体験を楽しめる。

⬆有田川に隣接する、独立性の高いオートサイト

⬅オート区画の中央に、トイレやシャワールーム、共同炊事場がまとまっており使いやすい

近隣スポット＆所要時間(車)

温　泉 「しみず温泉健康館」…約3分
買い物 スーパー「清水ショッピングセンター」…約3分
遊び場 「あらぎ島」…約10分
「蔵王橋」…約15分
病　院 「有田市立病院」…約50分

CAMPING AREA

オートサイト	**23**区画(約7m×8m) ●AC電源付き 1泊5500円～
サイトの状態	砂 土 芝生 その他
入場料	無料
駐車料	無料
モデル料金	大2 小2　1泊 ➡ 約**5500**円
その他	なし

携帯電話

au
docomo
SoftBank

利用条件

デイキャンプ ゴミ捨て 直火 花火

ペット ※犬のみ可。リードでつなぐこと

ゴミは分別要。花火は手持ちのみ可。シャワーは3分200円

施設

管理棟 コテージ等 売店 飲食店 自販機 レンタル 炊事場 洗濯機
乾燥機 AC電源 温水シャワー 風呂 洋式水洗 和式水洗 公衆電話 夜間照明

※レンタルはBBQ用具・コンロが可

白崎海洋公園オートキャンプ場

●しらさきかいようこうえんおーときゃんぷじょう

HP　FB　Instagram

和歌山県日高郡由良町大引960-1

予約受付　利用日の3カ月前の1日から（利用当日の受付可）

TEL 0738-65-0655（9:00〜16:30）

利用期間　**通年** ※年末年始休

in　13:00 ※ログハウス 15:00

out　12:00 ※ログハウス 10:00

湯浅御坊道路

「広川」ICから

乗り入れ可能車種

⬆白くそびえる石灰岩の山が眼前に。独特の雰囲気が魅力

眺めても遊んでも楽しい白岩と青い海の別世界

日本の渚100選に選ばれる白崎海岸にある、道の駅や食事処、展望台などを備えた公園の一角。白い石灰岩に囲まれた絶景キャンプ場だ。AC電源付きの区画サイトや電源なしキャンプサイトに加え、お手軽派にはログハウスもおすすめ。3〜7月に飛来するウミネコの観察や由良海つり公園での釣りなど、楽しみ方は盛りだくさん。また展望台から望む夕景は見もので、こちらも日本の夕陽100選に選ばれている。

CAMPING AREA

オートサイト	**20**区画（約10m×10m〜約16m×18m） ●AC電源付き:12区画 1泊4000円〜
サイトの状態	砂　土　芝生　その他
入場料	**無料**
駐車料	**無料**
モデル料金	㊅2 ㊛2　1泊 ➡ 約**4000**円
その他	なし

➡ログハウスはキッチンや浴室、エアコン、布団、冷蔵庫を完備。快適に過ごせる

近隣スポット＆所要時間（車）

温　泉　「海の里 みちしおの湯」…約40分
買い物　「ローソン」…約10分
　　　　「Aコープ」…約15分
遊び場　「戸津井鍾乳洞」…約10分
病　院　「竹内医院」…約15分

施　設　｜　利用条件　｜　携帯電話

たき火はたき火台使用で可

au
docomo
SoftBank

※管理棟・売店9:00〜17:00

森林公園丹生ヤマセミの郷

川辺

HP FB Instagram

●しんりんこうえんにゆやませみのさと

和歌山県田辺市龍神村丹生ノ川266

予約受付 随時(利用当日の受付可)

問 TEL 0739-78-2616(9:00～18:00)
FAX 0739-78-2616

利用期間 4月1日～10月30日

in 13:00
out 12:00 ※コテージ 10:00

阪和自動車道
「南紀田辺」ICから

普通車　キャンピングカー　トレーラー

豊かな自然に包まれた もと小学校でお泊まり会

丹生ノ川(にゅうのがわ)上流の山深い谷間にあり、施設には昔の小学校を再利用している。校庭には広場サイトと炊事棟が設置され、校舎は宿泊棟になっていて、一味違ったキャンプが体験できる。周囲は自然の宝庫で、川遊びや森林散策など1日中たっぷりと遊べるのも魅力。管理棟を兼ねた温泉館には「美人をつくる美白湯」と評判の温泉施設も。露天風呂からは丹生ノ川と熊野の山々が一望でき、贅沢なひとときが過ごせる。

⬆キャンピングカーも乗り入れ可能な芝生のオートサイト

⬅トイレやミニキッチンを備えたログコテージは、6人用6軒とバリアフリーの4人用1軒

CAMPING AREA

オートサイト	14区画(約8m×8m) ●AC電源なし:フリーサイト(約10台) デイ利用・1泊とも700円＋入場料
サイトの状態	砂　土　芝生　その他
入場料	大人600円・小学生400円
駐車料	普通車600円
モデル料金	㊅2 ㊇2　1泊 ➡ 約3300円
その他	コテージ全7棟:1泊1人6000円～＋入場料 宿泊棟3室:1泊大人2800円～・小学生1700円～＋入場料

近隣スポット＆所要時間(車)

- 買い物 「スーパーあだち」…約30分
  「道の駅 龍神」…約40分
  「道の駅 水の郷日高川龍游」…約40分
- 遊び場 「ごまさんスカイタワー」…約65分
- 病　院 「龍神中央診療所」…約30分

携帯電話	利用条件	施設
au docomo SoftBank	デイキャンプ　ゴミ捨て　直火　花火 ペット ゴミは分別要。風呂は火曜休(祝日の場合は翌日休)、大人800円・小学生400円	管理棟　コテージ等　売店　飲食店　自販機　レンタル　炊事場　洗濯機 乾燥機　AC電源　温水シャワー　風呂(温泉)　洋式トイレ　和式水洗　公衆電話　夜間照明

※管理棟9:00～20:00、風呂(温泉)11:00～20:00　※レンタルは毛布・調理器具が可　※洋式トイレは宿泊棟にあり

和歌山県

ACN南紀串本リゾート大島

●りぞーとおおしま

大森山
樫ノ野釣り公園
樫野崎
40
樫野串本線
樫野崎灯台
←至串本
航空自衛隊
トルコ記念館
紀伊大島
雷公神社
日米修交記念館

和歌山県東牟婁郡串本町樫野1035-6

予約受付 利用日の1年前の1日から
※予約はwebフォームからのみ(利用日の1日前まで)

問 TEL **0735-65-0840**(9:00～17:00)
FAX **0735-65-0920**

利用期間 通年

in 13:00～17:00 ※コテージ 15:00～18:00
out 12:00 ※コテージ 10:00

紀勢自動車道
「すさみ南」ICから

乗り入れ可能車種

⬆海沿いの高台にあり抜群のロケーションを誇る眺望サイト

1年中アウトドアを満喫 大海原が広がる南国リゾート

本州最南端、黒潮と漁業の町として知られる串本の高台に位置する。オートサイトは太平洋の大海原を望む緑の芝生広場で爽やかな開放感が味わえる。ほかにログハウスやバンガローなど、気軽な宿泊施設も豊富なので、スタイルに合わせて選びたい。海水浴やホエールウォッチング、シーカヤック、ダイビングなど、南国ならではのマリンレジャー基地にも最適だ。また、雨天でも快適に過ごせるグランピングも好評。

➡コテージにはトイレや冷蔵庫を完備。専用ドッグラン付きのトレーラーハウスも

CAMPING AREA

オートサイト	**60**区画(約8m×10m) ●AC電源付き:25区画 1泊2420円～ ●AC電源なし:35区画 1泊1980円～ ※デイ利用は繁忙期を除く10:00～17:00
サイトの状態	砂 土 **芝生** その他
入場料	**無料**
駐車料	**無料**(1サイト1台まで)
モデル料金	㊤2 ㊥2 1泊 ➡ 約**5200**円 ※AC電源なしオートサイト利用の場合

その他 コテージ10棟:1泊15400円～(2人から)
バンガロー2棟:1泊11000円～(2人から)
ログハウス1棟:1泊22000円～(2人から)

近隣スポット＆所要時間(車)

温泉 「サンゴの湯」…約15分
買い物 「Aコープ」…約10分
「ローソン」「オークワ」…約15分
遊び場 「串本海中公園」…約30分
病院 「くしもと町立病院」…約15分

施設

管理棟 コテージ等 売店 飲食店 自販機 レンタル 炊事場 洗濯機
乾燥機 AC電源 温水シャワー 風呂 洋式水洗 和式水洗 公衆電話 夜間照明

利用条件

デイキャンプ ゴミ捨て 直火 花火
ペット ※犬のみ可。リードでつなぎマナーを守ること

ゴミは指定袋で分別要。花火は手持ちのみ可。シャワーは無料

携帯電話

au
docomo
SoftBank

※管理棟・売店8:30～19:00、露天風呂15:00～21:30(予約受付9:00～17:00)、大人600円・小学生300円、手ぶらでBBQは予約要

アイリスパーク オートキャンプ場

HP FB Instagram

●あいりすぱーくおーときゃんぷじょう

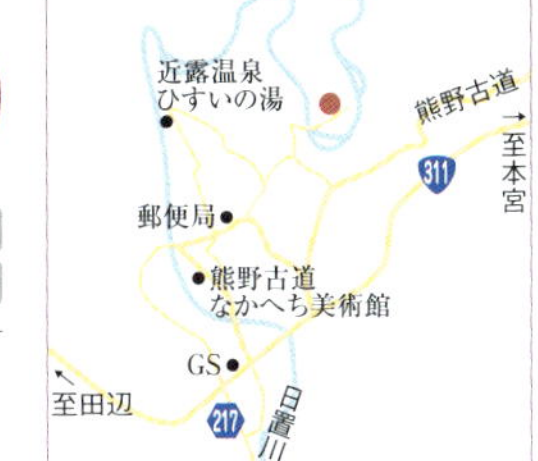

和歌山県田辺市中辺路町近露128-1

予約受付 随時（利用当日の受付可）

問 TEL **0739-65-0410**（9:00～21:00）
FAX **0739-65-0517**

利用期間 通年

in 12:00
out 10:00

紀勢自動車道「上富田」ICから

乗り入れ可能車種

普通車　キャンピングカー　トレーラー

手付かずの自然と遊び とろみのある自慢の温泉も

園内や周囲の山は桜や椿、サザンカ、シャガなど四季折々の花と紅葉に彩られる。広々としたオートサイトは区画なしのフリー。日置川（ひきがわ）の河畔にあり、周囲の豊かな自然の中には魚釣りや山菜採り、昆虫採集などの遊びが満載。市営のプールがすぐ近くにあるのもうれしい。また園内の「女神の湯」は独特のぬるぬる感が特徴で、全国の温泉好きが訪れる名物温泉。サイト利用者は無料で入れるので楽しみに。

⬆バンガローなどの宿泊施設には食事付きプランもある

⬅オーナーが掘り当てた温泉「女神の湯」は、純重曹泉ならではのとろりとした浴感で人気

近隣スポット＆所要時間（車）

買い物 「Aコープ」…約3分
遊び場 「古道歩きの里ちかつゆ」…約5分
「熊野古道なかへち美術館」…約7分
「熊野本宮大社」…約40分
病　院 「近野診療所」…約3分

CAMPING AREA

オートサイト フリーサイト（約50台）
●AC電源付き:フリーサイト（約18台）
デイ利用1000円・1泊4000円
●AC電源なし:フリーサイト（約32台）
デイ利用700円・1泊3500円
※デイ利用は10:00～16:00

サイトの状態 砂　土　芝生　その他

入場料 大人**1300**円・5歳～小学生**800**円（入湯料含む）

駐車料 **無料**（1台目まで。2台目から普通車1台1000円）

モデル料金 ㊤2㊥2　1泊 ➡ 約**7700**円
※AC電源なしサイト利用の場合

その他 バンガロー15棟 :1泊10000円～ ほか

携帯電話

au
docomo
SoftBank

利用条件

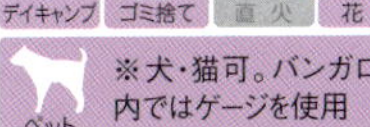

デイキャンプ　ゴミ捨て　直火　花火

ペット ※犬・猫可。バンガロー内ではゲージを使用

ゴミは指定袋で分別要。花火は手持ちのみ可。直火は指定場所でキャンプファイヤーのみ可

施設

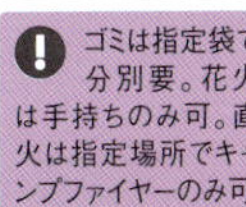
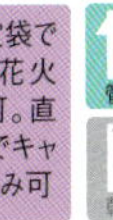

管理棟　コテージ等　売店　飲食店　自販機　レンタル　炊事場　洗濯機
乾燥機　AC電源　温水シャワー　風呂(温泉)　洋式水洗　和式水洗　公衆電話　夜間照明

※管理棟8:00～21:00、売店・飲食店9:00～20:30、風呂（温泉）9:00～17:00（サイト利用者は6:00～23:00の間無料） ※レンタルはテント・寝袋・毛布・調理用具・BBQ用具・コンロなどが可

和歌山県

宮代オートキャンプ場

●みやしろおーときゃんぷじょう

至龍神温泉
簡易郵便局
371
日高川
龍神十津川線
至十津川温泉
至みなべ
735
371
南部高龍神分校
425
GS
至中辺路

和歌山県田辺市龍神村宮代620

予約受付 利用日の前月の16日から
TEL **090-5660-6112**(9:00〜18:00)

問 TEL **0739-78-2222**(龍神観光協会 9:00〜17:00)

利用期間 4月1日〜10月31日

in 12:00
out 10:00

阪和自動車道
「有田」ICから

乗り入れ可能車種

普通車　キャンピングカー　トレーラー

⬆生け垣で囲まれた区画サイトは電源の有無を選べる

日高川でたっぷり遊んだら日本三美人の湯へ

目の前を流れる日高川での川遊びや釣りと、周りに棚田が広がる静かな山間の空気が魅力。背の低い生け垣で区切られプライベート感たっぷりのオートサイトに加え、ウッディーな雰囲気のコテージ(寝具なし)も8棟設置されている。場内のトイレ棟には温水シャワーも設けられているが、美人の湯として名高い龍神温泉へも車で10分の好立地。源泉かけ流しの共同浴場「龍神温泉元湯」ですべすべ肌を手に入れよう。

CAMPING AREA

オートサイト	**25**区画(約9m×9m) ●AC電源付き:13区画 1泊4名5000円〜 ●AC電源なし:12区画 1泊4名4500円〜
サイトの状態	砂　土　芝生　その他
入場料	**無料**
駐車料	**無料** (1台目まで。2台目から普通車1台500円)
モデル料金	㊅2 ㊈2　1泊 ➡ 約**4500**円 ※AC電源なしサイト利用の場合
その他	コテージ8棟:1泊12000円〜 ほか

➡流し台、洗面、水洗トイレ、エアコン完備のコテージが並ぶ。4人用と6人用の2タイプ

近隣スポット&所要時間(車)

温　泉 「龍神温泉元湯」…約10分
買い物 「スーパーあだち」…約5分
「あんくるジョヴィ」…約15分
遊び場 「ごまさんスカイタワー」…約40分
病　院 「龍神中央診療所」…約5分

※管理棟8:30〜19:30　※レンタルはテント・寝袋・BBQ用具が可　※キャンピングカーは小型のみ、トレーラーは大型不可　※Wi-Fi利用可

細野渓流キャンプ場

●ほそのけいりゅうきゃんぷじょう

川辺

HP FB Instagram

和歌山県紀の川市桃山町垣内258-1

予約受付 随時（利用日の1日前まで）

TEL 0736-67-0070（10:00〜16:00）

問 FAX 0736-67-0070

利用期間 通年

in 15:00
out 14:00

阪和自動車道「泉南」ICから 車で約60分

乗り入れ可能車種

普通車　キャンピングカー　トレーラー

ホタルが舞う清流沿い 豊かな自然が迎えてくれる

和歌山北部の清流・真国川（まくにがわ）に面し、6月にはホタルが乱舞する豊かな自然環境。川遊びや釣りはもちろん、近隣には約2時間のミニハイキングコースもあり、心ゆくまで自然と触れ合える。AC電源を備えたオートサイトが8区画とAC電源なしが14区画、10棟のバンガローがあり、人数やスタイルに応じて使い分けられる。トンボや川魚など水辺の生態系を観察できるビオトープ施設もあり、親子で自然学習してみるのもいい。

↑真国川沿いに砂と芝生で整地されたオートキャンプ場

←川幅が狭く浅いので、小さな子どもも水遊びしやすい。初夏にはホタルが舞う清流

近隣スポット＆所要時間（車）

- 温泉 「美里の湯 かじか荘」…約30分
- 買い物 「雨山観光農園」…約15分
- 「ローソン」…約30分
- 遊び場 「百合山遊歩道ハイキングコース」…約35分
- 病院 「那賀病院」…約35分

CAMPING AREA

オートサイト	22区画（約7m×8m） ●AC電源付き:8区画 デイ利用2090円・1泊4180円 ●AC電源なし:14区画 デイ利用1570円・1泊3140円 ※デイ利用は9:00〜17:00
サイトの状態	砂　土　芝生　その他
入場料	3歳以上1日**800**円 ※デイ利用は400円
駐車料	**無料**
モデル料金	㊀2㊁2　1泊 ➡ 約**5520**円 ※AC電源なしサイト利用の場合
その他	バンガロー10棟:1泊3660円〜 ほか

携帯電話

au / docomo / SoftBank

利用条件

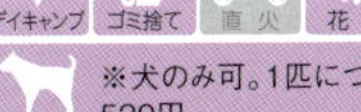

デイキャンプ　ゴミ捨て　直火　花火

ペット ※犬のみ可。1匹につき520円

花火は時間制限あり。シャワーは5分100円

施設

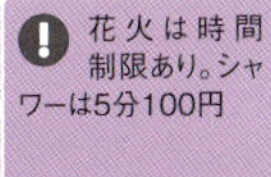

管理棟　コテージ等　売店　飲食店　自販機　レンタル　炊事場　洗濯機　乾燥機　AC電源　温水シャワー　風呂　洋式水洗　和式トイレ　公衆電話　夜間照明

※管理棟9:00〜17:00（7・8月は8:30〜17:30）

向平キャンプ村

●むかいだいらきゃんぷむら

和歌山県西牟婁郡白浜町久木

予約受付 **随時**（利用当日の受付可）

TEL **0739-53-0055**（平日9:00〜17:00）

MAIL **daisuki-hikigawa@castle.ocn.ne.jp**

利用期間 **4月下旬〜10月下旬** ※11〜3月は土日祝のみ営業

in 10:00
out 10:00

紀勢自動車道「日置川」ICから

乗り入れ可能車種

普通車　キャンピングカー　トレーラー

⬆オートサイトは平坦でテントの設営もしやすい

リーズナブルで設備は快適 清流と思い切り遊ぶ１日を

紀伊半島最後の清流とも呼ばれる日置川（ひきがわ）が大きくカーブを描く、雄大な風景が目の前。流れはゆるやかで、釣りのほか、子どもの水遊びや初心者のカヌー遊びにも最適。硬めの砂地サイトが80区画あり、開放的な川そばから木陰の山寄りまで、多彩なロケーションが魅力だ。機能的な炊事場のほか水洗トイレや温水シャワーなどの設備がそろって料金は格安。ツルツル肌になると評判のえびね温泉も徒歩圏内だ。

CAMPING AREA

オートサイト	**80**区画（約7.5m×7m） ●AC電源なし デイ利用・1泊とも1650円 ※デイ利用は10:00〜
サイトの状態	砂　土　芝生　その他
入場料	大人**660**円・小中学生**440**円
駐車料	**無料** ※サイト内に駐車
モデル料金	大2 小2　1泊 ➡ 約**3850**円 ※GW・夏休み期間は料金変更あり

その他 なし

➡炊事棟は丁寧に掃除されて清潔感があり、数も十分。ゴミは分別して捨てられる

近隣スポット＆所要時間（車）

温泉	「えびね温泉」…約2分 「リヴァージュ スパひきがわ」…約25分
買い物	スーパー「オークワ」…約20分 「道の駅 志原海岸」…約25分
病院	「日置診療所」「丸笹外科内科」…約20分

※管理棟は10:00〜15:00

Osaka Hyogo
Campsite

大阪府 兵庫県

大阪府

杜のテラス GLAMPING & CAMPING

林間

HP FB Instagram

●もりのてらすぐらんぴんぐあんどきゃんぴんぐ

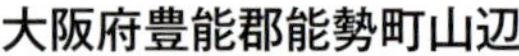

大阪府豊能郡能勢町山辺

予約受付 **利用月の3〜4カ月前の月末から**(利用当日の受付可)
※予約はwebフォームからのみ(利用日の1日前まで)
※デイキャンプと当日予約は電話のみ

TEL 090-8863-6974(デイキャンプ予約9:00〜16:30/当日予約9:00〜14:00)

利用期間 **通年**

in 12:00 ※グランピング 14:00
out 11:30 ※グランピング 10:00

新名神高速道路
「川西」ICから

乗り入れ可能車種

⬆おしゃれな管理棟。到着したらここでチェックイン

木々に囲まれたサイトで静かな大人時間が過ごせる

少人数で静かに楽しむ大人のためのキャンプ場。2017年オープンでガラス張りの管理棟など設備もおしゃれ。木立の中に自然の地形を生かして設けられた41区画のオートサイトは、形も大きさも様々なのでスタイルに合った場所を選びたい。車を横付けできるサイトが多いが、少し離れる場合もあるのでホームページで確認しながら予約を。地面は砂利なので寝袋だけでなくマットなどを使うのがおすすめだ。グランピングサイトも人気。

CAMPING AREA

オートサイト
41区画(約6m×7m〜8m×11m)
●AC電源付き:25区画
デイ利用 入場料+電源使用料550円・
1泊 入場料+電源使用料1100円
●AC電源なし:16区画
デイ利用・1泊とも入場料のみ
※デイ利用は11:00〜17:00
※繁忙期はデイ利用・1泊とも1サイト+1100円
※電源使用料は、4〜9月は使用する場合のみ、10〜3月は使用の有無にかかわらず必要

サイトの状態 砂 土 芝生 その他

入場料 デイ利用 1歳以上**2000**円
1泊 1歳以上**2500**円

駐車料 **無料**(1台目まで。2台目から普通車1台1000円)

その他 グランピング 7張:1泊12500円〜

モデル料金 ㊇2㊕2 1泊 ➡ **約10000円**
※AC電源なしオートサイト利用の場合
(サイト利用料+入場料)

レンタル 寝袋・BBQ用具・テーブル&イス
(3日前までにSNSで予約要)

近隣スポット & 所要時間(車)

買い物 スーパー「NOSEBOX」…約5分
「コメリ」…約5分
「ファミリーマート」…約5分
温　泉 「能勢温泉」…約3分
病　院 「奥井医院」…約10分

※管理棟8:30〜16:30、売店9:30〜16:30、シャワーは5分300円　※軽キャンピングカーは相談要、大型キャンピングカーは不可

プレイSpot

場内は木陰になる時間が多くて快適。森の中にいるような気分で過ごせる。バードウォッチングをしたり、たき火をしたり、自然の中でのんびりと。

Memo

場内にシャワー棟があるほか、日帰り利用可の能勢温泉も近い。単純弱放射能温泉でさらっとした肌触り。

⬆食材の準備に便利な調理台を備えた炊事棟ではお湯も使える。奥のトイレは白が基調で清潔感ある空間

⬆隣のオートサイトサイトとの間は樹木や石で区切られていて、適度なプライベート感が確保されている

➡少し贅沢な気分でアウトドアを楽しめるグランピングサイト

CHECK!

自然に包まれながら優雅にグランピングを

グランピングは白いコットンテントで、内装は北欧風。葉ずれの音や小鳥のさえずりに耳を澄ませて。夕食は、ダッチオーブン鍋（12～3月のみ）かBBQセットを予約してもいいし、食材を持ち込んでもOK。

大阪府

能勢温泉キャンプ場

●のせおんせんきゃんぷじょう

大阪府豊能郡能勢町山辺409-81

予約受付 利用日の3カ月前から（利用日の1日前まで）

TEL 072-734-0850（9:00〜17:00）

利用期間 通年 ※年末年始休

in 13:00
out 11:00

新名神高速道路「川西」ICから

乗り入れ可能車種

普通車 キャンピングカー トレーラー

⬆木のテーブルと椅子で、おいしい空気のもと休憩できる

思い切り遊んで食べたら天然温泉でゆったり爽快に

大阪市内から車で約60分で着ける、清涼な空気の山里。約3万4000m²の広大な敷地に、オートキャンプ場やテントハウス、ロッジ、宿泊施設が並ぶ。4通りの泊まり方が選べるので、子どもからシニアまで幅広い世代がアウトドアを気軽に満喫できる。標高780mの剣尾山（けんぴさん）ハイキングコースの出発点にもあたる。汗を流した後は露天風呂付きの天然温泉「能勢温泉」へ。また場内にはテントサウナが常設され、こちらもおすすめ。

CAMPING AREA

オートサイト	**20**区画（約6m×10m） ●AC電源付き 1泊5000円 ※AC電源使用は別途1500円
サイトの状態	砂 土 芝生 その他
入場料	大人**1000**円・6〜12歳**600**円・1〜5歳**300**円
駐車料	**無料**

その他 ロッジ12棟:1泊8000円〜
テントハウス6棟:1泊5000円〜
日帰りバーベキューなどデイ利用:2000円〜
※デイ利用は11:00〜16:00

モデル料金 ㊅2㊇2 1泊 ➡ 約8200円
※オートサイト利用の場合
（サイト利用料＋入場料）

レンタル 毛布・調理用具・BBQ用具・コンロ

近隣スポット＆所要時間（車）

買い物 スーパー「NOSEBOX」…約5分
「コメリ」…約5分
「道の駅 能勢くりの郷」…約8分
「ファミリーマート」…約10分

病院 「奥井医院」…約10分

※管理棟8:30〜16:30（7月中旬〜8月下旬は18:00まで）、売店8:00〜20:00、飲食店11:30〜15:00、風呂（温泉）10:30〜20:00

⬆オートキャンプ場は敷地の一番奥でとても静か。ロッジ棟やテントハウスもあるので参加メンバーに応じて選びたい

⬆野外テーブルは20卓。大勢のグループで行っても使いやすい広さで、所々に傘もついていて快適な食事タイムが過ごせる

プレイSpot

キャンプ場内には清らかな水が流れるせせらぎがあり、川遊びができる。また子ども用プールもあり、小さな子でも水遊びが楽しめる。

Memo

水洗トイレは温水洗浄便座付き。女性用トイレにはベビーベッドも。清潔で子どもにも安心。

CHECK!

能勢の緑風を感じて いい湯だな♪

併設の天然温泉は露天風呂。肌に柔らかく、さらさらとした湯感の天然ラジウム温泉でカルシウム含有量が豊か。野趣あふれる岩風呂で山里の醍醐味を堪能してみたい。屋内には大浴場も備えている。

⬅炊事場は3カ所あるので、混み合わずにゆったり調理できる

大阪府

自然の森ファミリーオートキャンプ場

●しぜんのもりふぁみりーおーときゃんぷじょう

HP FB Instagram

大阪府豊能郡能勢町山辺411

予約受付 利用日の3カ月前から（利用当日の受付可）
※webフォームからも受付可（1日前まで）

TEL 072-734-0819（9:00～17:00）

利用期間 通年

in 10:00 ※日によって変動あり、要確認
out 13:00

新名神高速道路
「川西」ICから

乗り入れ可能車種

普通車 キャンピングカー トレーラー

⬆木もれ日や吹き抜ける風が心地良い森の中のサイト

リピーターの心をとらえる四季の自然の息吹

市内から車で約1時間、大阪の奥座敷として知られる能勢町。夏は谷川での水遊びや魚のつかみどり（5～9月）、冬は降り積もった雪と遊ぶスノーキャンプと、ありのままの自然に触れられる環境に惹きつけられて多くのリピーターが訪れる。どのグループも快適に過ごせるよう、混雑時には家族構成やキャンプスタイルなどに応じて管理人がサイトを振り分けてくれる。夏のピーク時を除き、土曜の夕方には石窯も利用可能（予約要）。

➡各サイトにはたき火ができるようかまどが設置されている。夜は火を囲んで談笑を

CAMPING AREA

オートサイト	36区画（約10m×10m） ●AC電源なし 1泊2630円
サイトの状態	砂 土 芝生 その他
入場料	デイ利用 大人700円・3歳～中学生600円 1泊 大人1050円・3歳～中学生630円
駐車料	無料
モデル料金	大2 小2 1泊 ➡ 約5990円
その他	テントサイト31区画：デイ利用は入場料のみ・1泊は持ち込みテント1張2630円

近隣スポット＆所要時間（車）

温泉 「能勢温泉」…約5分
買い物 スーパー「NOSEBOX」…約15分
「ファミリーマート」…約15分
遊び場 「冒険の森inのせ」…約20分
病院 「市立川西病院」…約20分

施設

利用条件

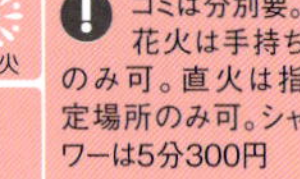

ゴミは分別要。花火は手持ちのみ可。直火は指定場所のみ可。シャワーは5分300円

携帯電話

au docomo SoftBank

※管理棟9:00～17:00　※レンタルはテント・寝袋・毛布・調理用具・BBQ用具が可

スノーピーク箕面 自然館・キャンプフィールド

山間

HP FB Instagram

●すのーぴーくみのおしぜんかんきゃんぷふぃーるど

大阪府箕面市下止々呂美962

予約受付 利用日の3カ月前から
※予約はwebフォームからのみ

問 TEL 072-732-2588(水曜を除く10:00〜19:00)

利用期間 通年 ※水曜休

in 14:00
out 11:00

新名神高速道路「箕面とどろみ」ICから 車で約5分

乗り入れ可能車種

普通車

キャンピングカー

トレーラー

キャンパー入門にぴったり 頼もしい"達人"サポート

箕面・止々呂美のダム湖のほとりに2010年オープン。大阪市中心部から約40分、京都・神戸からも1時間のアクセスの良さと、棚田の跡や自然の地形を生かした約12m×12mの広いサイトが魅力だ。アウトドア用品メーカーの運営とあって、初心者向けの体験キャンプではスタッフがテントの張り方や炭のおこし方を指導してくれるなどサポートも充実。また、必要な道具を全て借りられる「手ぶらキャンププラン」も初心者におすすめ。

⬆広葉樹を中心とした緑豊かな森に囲まれたキャンプ場

⬅スノーピーク箕面自然館は体験・レンタルの受付窓口。地域産品やキャンプ用品の販売も

近隣スポット&所要時間(車)

温泉 「箕面湯元 水春」…約20分
買い物 スーパー「トライアル」…約3分
「ファミリーマート」…約2分
「止々呂美ふれあい朝市」…約10分
病院 「箕面病院」…約5分

CAMPING AREA

オートサイト 80区画(約12m×12m)
●AC電源付き:20区画 1泊6270円〜
●AC電源なし:60区画
デイ利用 大人1100円〜・小学生550円〜、1泊5170円〜
※デイ利用は10:00〜16:00

サイトの状態 砂 土 芝生 その他

入場料 無料

駐車料 無料

モデル料金 大2 小2 1泊 ➡ 約6000円
※AC電源なしサイト利用の場合

その他 なし

携帯電話 au docomo SoftBank

利用条件 デイキャンプ ゴミ捨て 直火 花火 ペット ※リードやケージを使用すること
ゴミ捨ては、燃えるゴミ・生ゴミのみ可。たき火はたき火台使用で可

施設 管理棟 コテージ等 売店 飲食店 自販機 レンタル 炊事場 洗濯機 乾燥機 AC電源 温水シャワー 風呂 洋式水洗 和式トイレ 公衆電話 夜間照明

※管理棟9:00〜18:00、売店10:00〜19:00、風呂15:00〜19:00、大人330円・3歳〜中学生165円 ※レンタルはテント・タープ・寝袋・調理用具・BBQ用具・コンロ・テーブル&イスが可

兵庫県

MOUNT LAKE キャンプ場

●まうんとれいくきゃんぷじょう

HP FB Instagram

神戸淡路鳴門自動車道 「津名一宮」ICから

乗り入れ可能車種

兵庫県洲本市五色町鮎原中邑167

予約受付 **利用日の3カ月前から**(利用日の1日前まで)
※webフォームからも受付可

TEL **090-7363-1155**(9:00〜17:00)

利用期間 **通年**

in 14:00(大人550円・子ども330円追加で11:00より入場可)
out 11:00(大人880円・子ども330円追加で18:00まで滞在可)

⬆春になると湖の周りを桜や菜の花が彩る

多彩なロケーションから サイトが選べる楽しさ

淡路島のほぼ中央に位置するキャンプ場で2020年にオープン。山と湖に囲まれたサイトは7種類あり、水辺の「レイク」や「コハン」、眺望抜群の「ヒルズ」、緑に包まれる「マウント」や「フォレスト」など、趣の異なるロケーションから選べるのが魅力だ。各サイトにはリラクシングルームとして使えるキャビンが点在。管理人が常駐するフロントでは、キュートなTシャツなどのオリジナルグッズの販売も。

CAMPING AREA

オートサイト **45**区画(約8m×約8m)
●AC電源付き
デイ利用2200円〜・1泊3080円〜
※AC電源使用は別途1100円、
サイト内に駐車する場合は別途1100円

サイトの状態 砂 土 芝生 その他

入場料 大人**1100**円・小中学生**550**円

駐車料 **無料**

その他 テントサイト5区画:デイ利用2200円・1泊3080円
キャビン3棟:8800円(デイ利用のみ)

モデル料金 大2 小2 1泊 ➡ **約7150円**
(サイト利用料+入場料)

レンタル テント・タープ・寝袋・テーブル&イス ほか

近隣スポット & 所要時間(車)

温泉 「ゆーゆーファイブ」…約15分
買い物 「あわ津名市場 My Marche」…約15分
「ファミリーマート 洲本鮎原店」…約5分
遊び場 「淡路ワールドパークONOKORO」…約15分
病院 「順心淡路病院」…約10分

施設
管理棟 コテージ等 売店 飲食店 自販機 レンタル 炊事場 洗濯機
乾燥機 AC電源 温水シャワー 風呂 洋式水洗 和式トイレ 公衆電話 夜間照明

利用条件
デイキャンプ ゴミ捨て 直火 花火 ペット
ゴミは1袋330円。花火は手持ちのみ可

携帯電話
au docomo SoftBank

※管理棟9:00〜18:00

プレイSpot

場内ではオフロードコースを走行するジムニーライドといったアクティビティのほか、電動キックボードのレンタルなども有料で楽しめる。

Memo

ブラックバスやブルーギルが泳ぐ湖で魚釣りもできる。釣り道具のレンタルはないので持参して。

⬆「テントサイトレイク」近くにある洗い場。洗剤&スポンジがあり、照明も完備しているので使いやすい

⬆場内のほぼ真ん中にある「テントサイトレイク」は、管理棟からも水辺からも近く人気が高い

➡ブルーにペイントされた外装が目を引くフロント

CHECK!

ジャグジー付きキャビンやパウダールームも備える

湖を望むジャグジー付きの「レイクキャビン」では3000円プラス(4人まで)すれば、水遊びも楽しめる。管理棟の側には、シャワーを備えたモザイクタイル張りのパウダールームが。

兵庫県

淡路じゃのひれ オートキャンプ場

●あわじじゃのひれおーときゃんぷじょう

海辺

HP FB Instagram

兵庫県南あわじ市阿万塩屋町2660

予約受付 利用日の3カ月前から(利用日の1日前まで)

TEL 0799-52-1487(9:00～17:00)

利用期間 通年

in 12:00 ※コテージ15:00

out 11:00

神戸淡路鳴門自動車道「西淡三原」ICから

乗り入れ可能車種

普通車 キャンピングカー トレーラー

⬆広場サイトは大型キャンピングカーもOK

潮風に吹かれる島リゾート イルカとの触れ合いもぜひ

淡路島の南端で海と山に囲まれ、総面積約51000m²を誇る関西でも屈指のアウトドアスペース。約12m×12mの広々としたAC電源付き区画サイトや広場サイトのほか、コテージやトレーラーハウスも。管理棟には、24時間利用できる温水シャワールーム、日用品やキャンプ用品の売店もあるので初心者も気軽に利用できる。敷地内にはイルカと触れ合える施設や海上釣り堀、自由に釣りができる波止場もあり1日中遊べる。

CAMPING AREA

オートサイト **82**区画(約12m×12m)
- AC電源付き:39区画 1泊4500円～
- AC電源なし:43区画 1泊3000円～

サイトの状態 砂 土 芝生 その他

入場料 **無料** 駐車料 **無料**

その他 コテージ36棟:1泊大人1人3960円～・3歳～小学生1人1540円～
キャンピングトレーラー3台:1泊13200円～

モデル料金 大2小2 1泊 ➡ 約4100円
※AC電源なしオートサイト利用の場合(サイト利用料)

レンタル 寝袋・毛布・調理用具・BBQ用具・コンロ・テーブル&イス

近隣スポット&所要時間(車)

- 温泉 「ゆ～ぷる」…約10分
- 買い物 「イオン」「ローソン」…約15分
- 遊び場 「うずしおクルーズジョイポート南淡路」…約15分
- 病院 「中林病院」…約20分

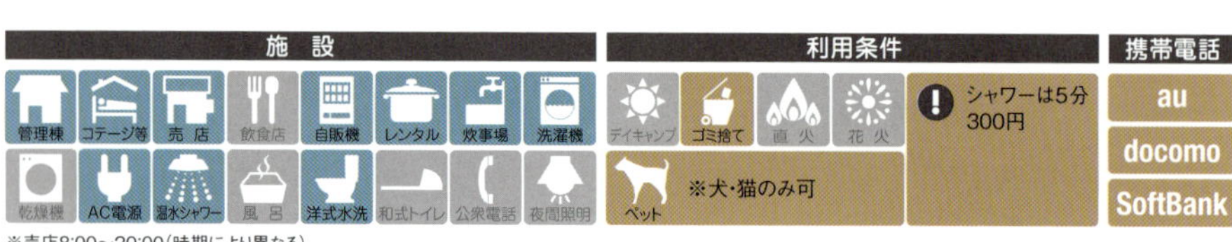

※売店8:00～20:00(時期により異なる)

プレイSpot

敷地内には、タイ、ハマチ、ブリなどが放流された海上釣り堀「フィッシングパーク」があり、釣った魚は持ち帰れる。近くでは波止釣りも。

Memo

オートキャンプエリアと一部のコテージはペットの同伴も可。緑あふれる広場での散歩なども楽しめる。

⬆アメリカ製のキャンピングトレーラー「エアストリーム」3台を設置。シャワールームやBBQコンロも備えた本格派

⬆広場を取り巻くように配置された区画サイト。約12m×12mとゆったりスペースで、テント・タープは1張まで可能

➡少人数からグループ向けまで8タイプのコテージがそろう

CHECK!

触れたり、一緒に泳いだりかわいいイルカと遊ぼう

敷地内の「淡路じゃのひれドルフィンファーム」では、触れる・一緒に泳ぐなど、気軽にイルカと触れ合える。自然の大切さを感じながら、かわいいイルカに癒やされるひとときを過ごして。

兵庫県

相大池公園キャンプ場

HP FB Instagram

●けびおおいけこうえんきゃんぷじょう

兵庫県美方郡香美町村岡区相岡1064-2

予約受付 予約不可

問 TEL **0796-95-1109**(9:00～18:00)

利用期間 4月中旬～11月30日 ※原則土日祝のみ営業

in 9:00
out 12:00

舞鶴若狭自動車道
「**福知山**」ICから

乗り入れ可能車種

普通車 キャンピングカー トレーラー

自然派キャンパーを魅了する抜群のロケーションと星空

標高500mの高原に、キャンプサイトとコテージ・ログハウスが点在。見晴らしがいい池のほとりや広い芝地が、自動車乗り入れ可能のフリーサイトになっている。設備は炊事棟やトイレなど最小限だが、掃除が行き届き快適に利用できる。お手軽派には、本格的なフィンランドパインのログハウスや、広々としたベランダが魅力の和室コテージもおすすめ。車で15分圏内に湯村をはじめ4つの温泉があり、湯巡りキャンプも楽しい。

⬆豊かな水をたたえる相大池では釣りが楽しめる

CAMPING AREA

オートサイト フリーサイト(約40台)
●AC電源なし
デイ利用・1泊ともテント1張1500円～
※デイ利用は日の出～日没

サイトの状態 砂 土 芝生 その他

入場料 テント1張**500**円(環境整備費)

駐車料 普通車**1000**円

その他 コテージ5棟:1泊18000円～
ログハウス5棟:1泊22000円～
テントサイト約40張:デイ利用・1泊ともテント1張1500円～ ※デイ利用は受付～16:00まで

モデル料金 ㊇2㊕2 1泊 ➡ 約3000円～
※オートサイト利用の場合
(サイト利用料+入場料+駐車料)

レンタル BBQ用具

近隣スポット＆所要時間(車)

温泉 「村岡温泉」「湯村温泉」…約15分
買い物 スーパー「のんきや」…約10分
遊び場 「神鍋高原」…約20分
「湯村カントリー倶楽部」…約5分
病院 「村岡病院」…約15分

施設

管理棟 コテージ等 売店 飲食店 自販機 レンタル 炊事場 洗濯機
乾燥機 AC電源 シャワー 風呂 洋式トイレ 和式水洗 公衆電話 夜間照明

利用条件

デイキャンプ ゴミ捨て 直火 花火
ペット

ゴミ捨ては有料。ビン・缶は持ち帰り要。花火は指定場所のみ可

携帯電話

au
docomo
SoftBank

※管理棟8:30～18:00

プレイSpot

テニスコートはグリーンサンドで3コート。全面芝生のグランドは約1.6haあり、ボール遊びものびのびできる。園内は遊歩道が整備され、散策におすすめ。

Memo

高台に建つコテージとログハウスからは相大池と美しい山並みが眺められる。ワークスペースも完備。

⬆北欧ログハウスはバス・キッチン・トイレを完備。木の香りが心地よく、2階ベランダからの眺望もすばらしい

⬆相大池の周辺にある芝生広場一帯がフリーサイト。ピーク時期もそれほど混雑しない開放的な空間

➡四季折々に姿を変える公園の景色もここならではの魅力

CHECK!

キャンパーを優しく包む すばらしい眺望と満天の星

周辺には美しい棚田風景と緩やかな山並みが広がり、展望台からは日本海が一望できる。朝日や夕陽だけでなく、海上の夜空に無数の星がまたたく姿も、時が経つのを忘れるほどの美しさだ。

兵庫県

ハイマート佐仲オートキャンプ場

●はいまーとさなかおーときゃんぷじょう

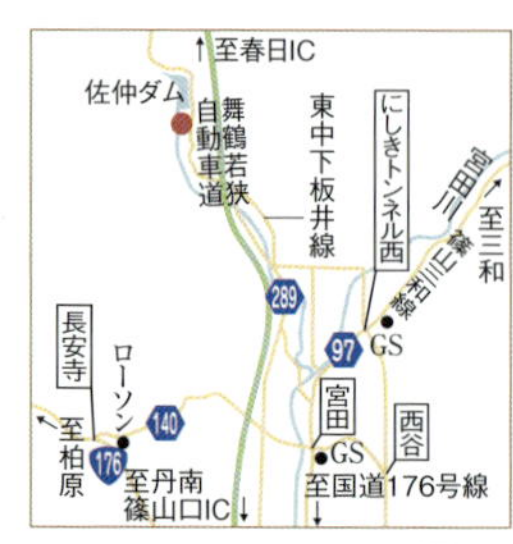

兵庫県篠山市小坂459-3

予約受付 利用日の90日前から(利用日の1日前まで) ※予約はwebフォームからのみ

問 TEL **079-593-0888**(9:00〜18:00)

問 FAX **079-593-0488**

問 MAIL **sanaka@gaia.eonet.ne.jp**

利用期間 **通年** ※年末年始を除く火曜休

in 13:00(3歳以上1人330円追加で11:00より入場可)

out 11:00

舞鶴若狭自動車道
「丹南篠山口」ICから

乗り入れ可能車種

普通車　キャンピングカー　トレーラー

⬆生の猪肉を手切りし、特製味噌で仕立てるぼたん鍋

広大な自然公園で丹波篠山の魅力を堪能

豊かな森林や渓流、ダム湖などを抱える兵庫県立佐仲自然公園内にあり、全面芝生のフリーサイトは広々。春は桜を見ながらのBBQ、初夏の夜は幻想的なホタル鑑賞、秋は紅葉の下でのテント泊など、四季折々の魅力がいっぱいだ。11〜3月は囲炉裏を囲む食事処でぼたん鍋が味わえ、テントへのテイクアウトもOK。丹波焼を全面に使った陶板風呂など、施設も地元らしさ満点。場内全域でWi-Fiが使えるのも心強い。

CAMPING AREA

オートサイト	フリーサイト(約50台) ●AC電源なし デイ利用1100円・1泊2200円〜 ※デイ利用は10:00〜16:00
サイトの状態	砂　土　**芝生**　その他
入場料	大人**1100**円・3歳〜小学生**660**円 (入湯料込)
駐車料	**無料**
その他	なし

モデル料金 ㊅2 ㊇2　1泊 ➡ 約5720円
※オートサイト利用の場合
(サイト利用料+入場料)

レンタル なし

近隣スポット&所要時間(車)

温　泉 「こんだ薬師温泉 ぬくもりの郷」…約25分
買い物 「JA丹波ささやま ファーマーズマーケット味土里館」…15分
遊び場 「西紀運動公園」…約5分
病　院 「にしき記念病院」…約5分

施設: 管理棟、コテージ等、売店、飲食店、自販機、レンタル、炊事場、洗濯機、乾燥機、AC電源、シャワー、風呂、洋式水洗、和式トイレ、公衆電話、夜間照明

利用条件: デイキャンプ、ゴミ捨て、直火、花火、ペット

❗ 風呂の料金は入場料に含む。

携帯電話: au、docomo、SoftBank

※売店8:00〜18:00、飲食店11:30〜15:00、風呂15:00〜21:00(日により異なる)　※ Wi-Fi利用可

プレイSpot

キャンプ場のすぐそばにある佐仲ダム釣り場は関西屈指のヘラブナ・ワカサギの釣り場。「わかさぎドーム」も併設し、悪天候でも快適に楽しめる。

Memo

本館西隣の炊事場は温水が使えるほか、電子レンジ・冷蔵庫なども自由に利用できる。洗濯機（有料）もあり。

⬆抜群の水質を誇る湖で、繊細な当たりが楽しいワカサギ釣りやダイナミックな引きが魅力のヘラブナ釣りをエンジョイ

⬆山とダム湖に囲まれた自然公園。敷地奥の階段からダムの堤に上ると、満開の桜など四季折々の絶景に出合える

➡地元の陶芸家が手がけた、丹波焼の陶板を敷き詰めた風呂

CHECK!

天然湧水のお風呂で癒やしのひとときを

日本六古窯のひとつ・丹波焼の里ならではの陶板風呂。入湯料込みの入場料なので、何度でも入浴できるのがうれしい。佐仲の山々の清らかな天然湧水を沸かしたお湯にゆったり浸かってみて。

丹波篠山キャンプ場 やまもりサーキット

HP FB Instagram

●たんばささやまきゃんぷじょうやまもりさーきっと

兵庫県丹波篠山市遠方41-1

予約受付 利用日の3カ月前の1日の0:00から
※予約はwebフォームからのみ受付(利用日の1日前まで)

問 TEL **070-2308-4405**(9:00〜17:00)

問 MAIL **yamamori.circuit@gmail.com**

利用期間 通年

in 13:00
out 11:00

舞鶴若狭自動車道
「丹南篠山口」ICから

乗り入れ可能車種

普通車 キャンピングカー トレーラー

⬆山に囲まれて穏やかな空気が漂うオートサイト

本物の自然と触れ合える アクティビティが充実!

丹波篠山の山間部にある広大なキャンプ場。2エリアに分けられており、オートサイトはAREA2に。宿泊者に配布される「たんけんBOOK」を携えて自然の中を冒険できるほか、ペダル式カートや川遊び、天体観測など多彩なアクティビティがあり、ファミリーキャンプにうってつけ。グラウンドゴルフやアロマ蒸留水づくり(有料)など大人が楽しめる施設も。ひと汗かいた後は隣接する温泉「やまもりの湯」でリフレッシュ。

CAMPING AREA

オートサイト	**28**区画(約12m×12m) ●AC電源付き デイ利用5500円・1泊7500円(土日祝とハイシーズンは10500円)
サイトの状態	砂 土 **芝生** その他
入場料	**300**円 ※ゴミ処理料を含む
駐車料	**無料**(予約要で1グループ1台まで。2台目から普通車1台500円)

その他 芝生サイト28区画:デイ利用4000円・1泊5000円(土日祝とハイシーズンは8000円)
車横付けサイト3区画:デイ利用は4500円・1泊6000円(土日祝とハイシーズンは9000円)
プライベートサイト8区画:デイ利用は6000円・1泊8000円(土日祝とハイシーズンは12000円) ほか

モデル料金 ㊅2㊉2 1泊 ➡ **約10800円**
(サイト利用料+入場料)
※ハイシーズンの土日祝利用の場合

レンタル テント・タープ・寝袋・ランタン・調理用具・BBQ用具・コンロ・たき火台・カセットストーブ・テーブル&イス ほか

近隣スポット&所要時間(車)

- 温泉 「やまもりの湯」…約1分(徒歩)
  「草山温泉 大谷にしき荘」…約3分
- 遊び場 「オータニ にしきカントリークラブ」…約5分
- 病院 「京丹波町病院」…約20分

※管理棟9:00〜17:00(夜間は5分ほど離れた場所に在中)、売店・飲食店9:30〜17:00(pucapuca内)、風呂(やまもりの湯)11:00〜21:00(最終受付20:30)

プレイSpot

「やまもりの湯」は日帰り入浴もOK。茶褐色の濁り湯で海水の1.5倍の塩分を含む強塩泉が特徴。露天風呂もあるので星空を見上げて極楽のひとときを。

Memo

双眼鏡や虫取り網も無料で借りられるので、バードウオッチングや昆虫採集にチャレンジしてみて!

⬆体育館「やまもりgym」ではバスケットボールや室内サーキット、卓球、バドミントンなどが無料で楽しめる

⬆約12m×12mのゆったりとした芝生のサイトで自由度の高い設営が可能。約3m×5mの駐車スペースは砂利(砕石)

➡シンプルでスッキリとした炊事場。屋根付きで雨でも安心

CHECK!

丹波篠山の魅力が詰まった新スポットが登場

2022年4月に場内にオープンした温浴複合施設「湯あみ里山公園 pucapuca commune」。館内には、ジビエのソーセージをはじめ地元の食材が並ぶマーケットやカフェベーカリーなどがある。

兵庫県

若杉高原 おおやキャンプ場

●わかすこうげんおおやきゃんぷじょう

HP FB Instagram

兵庫県養父市大屋町若杉99-2

予約受付 3月上旬から
※予約はwebフォームからのみ(利用日の1日前の16:00まで)

問 TEL **079-669-1576**(8:15～17:00)

問 FAX **079-669-1591**

利用期間 4月下旬～11月中旬

in 13:00
out 12:00

中国自動車道「山崎」ICから

乗り入れ可能車種

⬆ゲレンデを利用した広々オートサイト

夏でもスキー・スノボOK アクティビティもいっぱい

兵庫百名山に数えられる藤無山のふもとにあるスキー場が、期間限定でキャンプ場を運営。オートサイトは、開放感満点の「星空フリーサイト」や山々が見渡せる絶景サイトなど、5種類。またテントサイトには、木立の中でプライベート感を満喫できる「こもれびの森サイト」が。夏ゲレンデもあり、サイト横には子どもたちに大人気のトランポリンや芝そりエリアなどアクティビティが充実。遊んだあとは場内の温泉でゆっくり疲れを癒やして。

CAMPING AREA

オートサイト	**20**区画(約7m×15m)+**フリーサイト**(約20台) ●AC電源なし 1泊3000円～
サイトの状態	砂 土 芝生 その他
入場料	3歳以上**500**円 ※環境整備協力費1グループ**300**円
駐車料	**無料**(1台目まで。2台目から普通車1台1500円)
その他	テントサイト(こもれびの森)8区画:1泊3500円～ ロッジ12部屋:1泊4800円～ グランピングログ1棟:1泊20200円 グランピングトレーラー1棟:1泊17000円

モデル料金 ㊅2㊖2 1泊 ➡ 約4500円
※オートサイト利用の場合
(サイト利用料+入場料+環境整備協力費)

レンタル 寝袋・毛布・BBQコンロ・たき火台

近隣スポット＆所要時間(車)

買い物 スーパー「ミニフレッシュ」…約20分
「マックスバリュ」…約35分
「ファミリーマート」…約35分

遊び場 「あゆ公園」…約15分

病院 「八鹿病院」…約40分

施設
管理棟 コテージ等 売店 飲食店 自販機 レンタル 炊事場 洗濯機 乾燥機 AC電源 シャワー 風呂(温泉) 洋式水洗 和式トイレ 公衆電話 夜間照明

利用条件
デイキャンプ ゴミ捨て 直火 花火
ペット ※リードでつなぐこと
❗夜間照明は一部。ゴミは指定袋100円を購入。花火は深夜は禁止で駐車場のみで可

携帯電話
au docomo SoftBank

※管理棟8:15～17:00、風呂(温泉)16:00～21:00(土日祝のみ営業)、大人600円・小学生以下400円

プレイSpot

そりで滑降し、プールの水に飛び込む「そりぽちゃ」のほか、子ども向けのトランポリンなど遊べる施設が充実。

Memo

ワンちゃんなどペットと一緒のキャンプもできる。ドッグテラスがあるので愛犬もきっと大喜び。

⬆夏でも楽しめるそり遊びは、親子で遊べる人気のアクティビティ。広大な芝生を思い切りすべり下りる爽快感が味わえる

⬆山々を間近に望むロケーションが魅力の絶景サイト。天気によっては雲海も見られるそう

➡ライトアップされたリフトに乗って頂上の星のひろばへ

CHECK!

おおやの森で星空ハイキング「スターナイトカーニバル」

毎週土曜と夏休み期間中に開催される、星空ハイキング。夜行リフトに乗って山頂に到着したら、草の上に寝転びながら星空を観賞。全長約1400mのコースではプロジェクションマッピングの鑑賞も。

兵庫県

くるみの里キャンプ場

HP FB Instagram

●くるみのさときゃんぷじょう

兵庫県宍粟市波賀町鹿伏175-10

予約受付 利用日の3カ月前から
※予約はwebフォームからのみ(利用当日の受付可)

問 TEL **0790-73-0348**(9:00〜17:00)

利用期間 通年

in 14:00
out 12:00

至国道482号線
至県道6号線
ばんしゅう戸倉スキー場
出合橋
48
29
道谷小学校跡
浜坂トンネル
引原川
至音水湖

中国自動車道「山崎」ICから 車で約50分

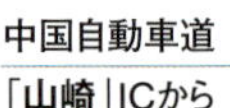

普通車 キャンピングカー トレーラー

⬆シャワーやトイレは管理棟内にあり安心して利用できる

国定公園の自然と共に豊富なアクティビティを満喫

場内には引原川(ひきはらがわ)が流れ、兵庫県最高峰の氷ノ山(ひょうのせん)を中心とした国定公園がすぐそこという自然美あふれる立地。サイトはオートキャンプサイトのほか、芝生・ソロ・林間と個性豊かなサイトがそろう。アマゴのつかみ取りができる池や巨大トランポリン、テントサウナといったアクティビティ施設も充実。目の前の川での水遊びはもちろん、近隣では山菜採りやリンゴ狩りといった体験も。

CAMPING AREA

オートサイト	**17**区画(約10m×10m) ●AC電源なし デイ利用・1泊とも4800円〜
サイトの状態	砂 土 芝生 その他
入場料	小学生以上**300**円 ※環境整備費1人**500**円
駐車料	普通車**500**円(デイ利用のみ)
その他	テントサイト33区画:デイ利用・1泊とも3300円〜 コテージ6棟:1泊14800円〜

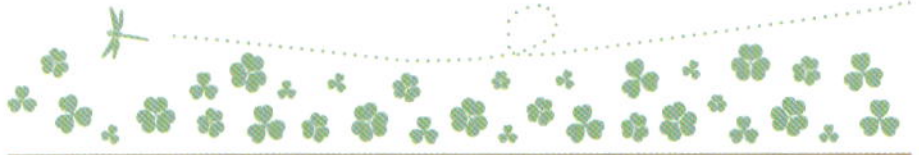

モデル料金 ㊅2㊉2 1泊 ➡ **約7200円**
※平日利用の場合
(サイト利用料+入場料+環境整備費)

レンタル たき火台

近隣スポット&所要時間(車)

温 泉 「若杉高原温泉」…約10分
買い物 「道の駅 はが」…約15分
「にこにこマート」…約20分
遊び場 「波賀城史蹟公園」…約25分
病 院 「山岸診療所」…約20分

施設

管理棟 コテージ等 売店 飲食店 自販機 レンタル 炊事場 洗濯機 乾燥機 AC電源 温水シャワー 風呂 洋式水洗 和式トイレ 公衆電話 夜間照明

利用条件

デイキャンプ ゴミ捨て 直火 花火 ペット ※有料

ゴミは指定袋で分別要。たき火はたき火台使用で可。花火は指定の時間・場所でのみ可

携帯電話

au docomo SoftBank

※管理棟9:00〜17:00(週末・連休時などは常駐)

⬆砂地のオートサイトは全面フラットでテント設営も楽。秋には周囲の山々が色づく様子が眺められる

⬆電動マウンテンバイクのレンタルが可能(2時間2000円～)。湖を60分かけて周遊するコースでは大自然を満喫できる

プレイSpot

車で5分ほどの距離にある音水湖では、SUPやカヌー体験を開催(予約要)。大きな波が立たないので、初心者でも気兼ねなくチャレンジできる。

Memo

モーニングヨガが開かれることも(参加無料、問い合わせ要)。爽やかな空気の中でのヨガは格別!

CHECK!

話題のテントサウナを貸切 心身ともにリラックス

テントサウナは、午前と午後の2部制(1部5000円、予約要)。両方予約すれば、1日貸し切ることも可能。汗を流した後は、冷たい湧き水の水風呂や森林の中での外気浴で火照った体を冷ませる。

⬅引原ダムの人工湖である、音水湖(おんずいこ)

兵庫県

ハチ高原 オートキャンプ場

HP FB Instagram

●はちこうげんおーときゃんぷじょう

北近畿豊岡自動車道「八鹿氷ノ山」ICから 車で約30分

乗り入れ可能車種

普通車 キャンピングカー トレーラー

兵庫県養父市大久保1584

予約受付 利用当日の3カ月前から

問 TEL **079-667-7221**(8:00～21:00)
MAIL **8kougencamp@gmail.com**

利用期間 4月中旬～11月下旬 ※降雪し始めると営業終了

in 13:00
out 12:30

⬆開放感抜群の草原オートサイト。夜は星空に癒やされて

夜空に輝く無数の星の下 高原リゾートでキャンプ

標高800～900mに位置する高原リゾート・ハチ高原にあり、目の前には兵庫県最高峰の氷ノ山(ひょうのせん)や高丸山(たかまるやま)がそびえる。雄大な自然に包まれたキャンプ場は区画なしのフリーサイト。車の乗り入れができて便利な草原オートサイトと木々に囲まれプライベート感のある林間サイトから選べる。ここ養父(やぶ)市は「星が最も輝いて見える場所」全国1位に認定されるほどで、満天の星が堪能できる。

CAMPING AREA

オートサイト	フリーサイト(約30台) ●AC電源なし デイ利用1000円・1泊3300円
サイトの状態	砂 土 芝生 その他
入場料	大人**500**円・小学生**300**円 ※環境整備協力金1サイト1泊**500**円
駐車料	**無料**(テント1張1台まで。2台目から普通車1台1000円)
モデル料金	㊅2㊉2 1泊 ➡ 約**5400**円
その他	テントサイト(林間フリーサイト)約30台:デイ利用1人1000円・1泊1人3300円

➡自然の地形を生かした林間サイトは、日中でも涼しく快適に過ごせる。直火もOK

近隣スポット&所要時間(車)

温泉 「合格の湯(天然温泉まんどの湯)」…約25分
「とがやま温泉 天女の湯」…約35分
買い物 「ミニフレッシュ 関宮店」…約25分
遊び場 「おおやアート村 BIG LABO」…約40分
病院 「八鹿病院」…約40分

※売店は8:00～16:00

気比の浜キャンプ場

HP FB Instagram

●けひのはまきゃんぷじょう

兵庫県豊岡市気比

予約受付 3月上旬から随時
※予約はwebフォームからのみ（利用日の1日前の15:00まで）

問 TEL 090-3620-3572（8:30〜17:00）※公式LINEからも問い合わせ可

利用期間 3月19日〜12月31日

in 13:00（相談要で1区画1000円追加でアーリーチェックイン可）
out 12:00（相談要で1区画1000円追加でレイトチェックアウト可）

山陰豊岡自動車道「但馬空港」ICから

乗り入れ可能車種

普通車　キャンピングカー　トレーラー

爽やかな潮風を感じながらビーチサイドキャンプ

日本海へとつながる津居山湾が目の前に広がる浜辺のサイトでは、波の音を聞きながらゆったりと過ごせる。入江のため比較的波も穏やかなうえ、遠浅なので海水浴にぴったり。キャンプ場の両サイドにある堤防での釣りや、近隣で販売している魚介でバーベキューを楽しむのもおすすめ。区画サイトとフリーサイトの両方があるほか、ソロキャンプ専用のサイトもあるのでスタイルに合ったものを選んでみて。

⬆場内西側は円山川の河口に面し、津居山が眺められる

⬅海まですぐのロケーションなので、キャンプ&釣りを一緒に楽しむ人も多いそう

近隣スポット＆所要時間（車）

温泉 「城崎温泉」…約10分
買い物 「津居山フィッシャーマンズビレッジ」…約5分
「二方蒲鉾」…約10分
遊び場 「城崎マリンワールド」…約10分
病院 「中田医院」…約5分

CAMPING AREA

オートサイト	127区画（約10m×10m）＋フリーサイト（約30台） ●AC電源付き:30区画 1泊5000円〜 ●AC電源なし:97区画＋フリーサイト（約30台）1泊4000円〜 ※デイ利用は8:30〜16:30
サイトの状態	砂 土 芝生 その他
入場料	小学生以上1000円（環境保全協力金）
駐車料	無料（1区画1台まで。2台目から普通車1台1泊1000円）
モデル料金	大2 小2 1泊 ➡ 約8000円
その他	デイ利用専用エリア:環境保全協力金＋駐車料 車ソロサイト5区画:1泊3000円〜 バイクソロサイト5区画:1泊2000円〜

携帯電話

au
docomo
SoftBank

利用条件

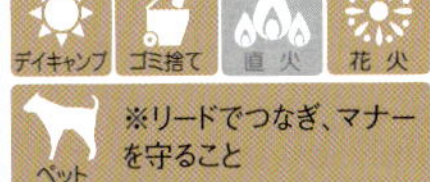
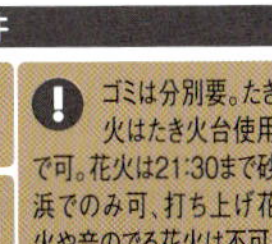

デイキャンプ　ゴミ捨て　直火　花火

ゴミは分別要。たき火はたき火台使用で可。花火は21:30まで砂浜でのみ可、打ち上げ花火や音のでる花火は不可

ペット ※リードでつなぎ、マナーを守ること

施設

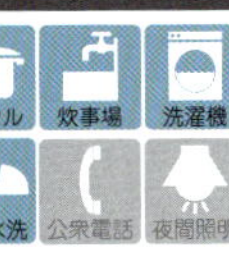

管理棟　コテージ等　売店　飲食店　自販機　レンタル　炊事場　洗濯機
乾燥機　AC電源　温水シャワー　風呂　洋式水洗　和式水洗　公衆電話　夜間照明

※管理棟8:00〜17:00、売店8:00〜17:00　※レンタルは寝袋・コンロ・テーブル&イスが可

兵庫県

休暇村南淡路シーサイドオートキャンプ場

HP FB Instagram

●きゅうかむらみなみあわじしーさいどおーときゃんぷじょう

淡路島南PA / 淡路島南IC / うずしおライン / 南淡温泉 / フィッシングパーク / 福良小学校 / 派出所前 / ローソン / 神戸淡路鳴門自動車道 / 至洲本 / 至鳴門 / GS

兵庫県南あわじ市福良丙870-1

予約受付 利用日の6カ月前から(利用当日の受付可) ※webフォームからも受付可

問 TEL **0799-52-0291**(9:00〜21:00)
FAX **0799-52-3651**
問 MAIL **awaji@qkamura.or.jp**

利用期間 通年

in 12:30
out 11:00

神戸淡路鳴門自動車道「淡路島南」ICから 車で約15分

乗り入れ可能車種

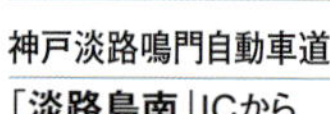

普通車 キャンピングカー トレーラー

⬆うずしおクルーズ船が通過する様子も眺められるサイト

海と山と空に囲まれた絶景ロケーション

淡路島の南端に位置する、温泉付きホテルとキャンプ場を備えた休暇村。目の前には福良湾が広がり、行き交う船を眺めながらゆっくり過ごせる。全サイトでAC電源と水道完備のオート区画は車の乗り入れができ、スムーズな設営が可能。売店では氷や炭、薪、調味料を販売するほか、予約をすればBBQ用の食材も用意してもらえる。夜には満天の星も楽しめ、宿泊者を対象に専門スタッフによる星空解説や天体観察などを開催。

CAMPING AREA

オートサイト	**23**区画(約10m×10m) ●AC電源付き 1泊4500円
サイトの状態	砂 / 土 / 芝生 / その他
入場料	4歳以上**600**円(管理費)
駐車料	**無料**
モデル料金	㊅2㊀2 1泊 ➡ 約**6900**円 ※オートサイト利用の場合

その他 なし

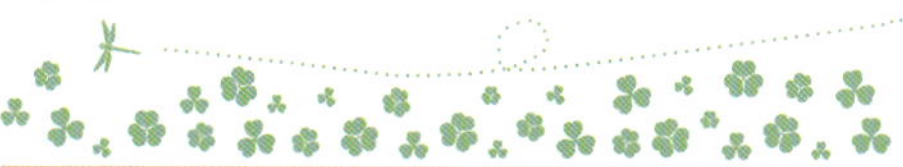

➡ホテル内の天然温泉「潮騒の湯」で入浴可能。鳴門海峡を望む露天風呂も楽しんで

近隣スポット&所要時間(車)

買い物 「イオン」「ローソン」…約15分
遊び場 「うずしおクルーズジョイポート南淡路」…約10分
「淡路島牧場」…約25分
病院 「中林病院」…約20分

施設

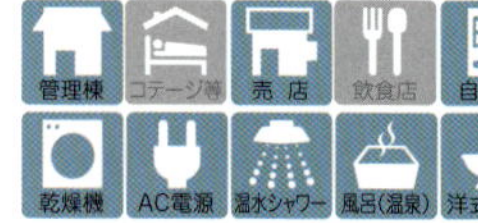

管理棟 / コテージ等 / 売店 / 飲食店 / 自販機 / レンタル / 炊事場 / 洗濯機 / 乾燥機 / AC電源 / 温水シャワー / 風呂(温泉) / 洋式水洗 / 和式トイレ / 公衆電話 / 夜間照明

利用条件

デイキャンプ / ゴミ捨て / 直火 / 花火 / ペット

※犬・猫のみ可。リードでつなぐこと

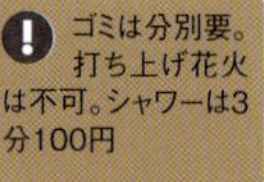

ゴミは分別要。打ち上げ花火は不可。シャワーは3分100円

携帯電話

au / docomo / SoftBank

※管理棟12:30〜14:00(繁忙期)、売店7:00〜21:00、風呂(温泉)12:00〜21:00(キャンプ利用者)、大人900円・4歳〜小学生550円 ※レンタルは毛布・調理用具・コンロなどが可

ウェルネスパーク 五色オートキャンプ場

HP FB Instagram

●うぇるねすぱーくごしきおーときゃんぷじょう

兵庫県洲本市五色町都志1087

予約受付 利用日の6カ月前の1日から(利用当日の受付可)
※webフォームからも受付可(5カ月前から)

TEL 0799-33-1600(8:00〜22:00)
問 FAX 0799-33-1603 問 MAIL hamachidori@takataya.jp

利用期間 通年

in 14:00
out 11:00

播磨灘 淡路サンセットライン ウェルネスパーク五色 高田屋嘉兵衛公園 新都志海水浴場 都志 スプリングゴルフ&アートリゾート淡路 GS 都志小学校 倭文五色線 洲本五色線 都志川 31 231 470 46

神戸淡路鳴門自動車道路「北淡」ICから 車で約30分

乗り入れ可能車種

スポーツ&体験施設が充実! 瀬戸内海最大の島へ

幕末に活躍した廻船問屋・高田屋嘉兵衛を記念して造られた公園の中。サイトごとにAC電源・流し台を備えたオートキャンプ場のほか、ログハウスなどの宿泊施設、手作り工房や体験農園、レストラン、スポーツ施設などが点在する。屋内施設が充実しているので、天候に左右されず家族で1日楽しく遊べそう。温泉も併設され、スーパーも近いため、アウトドア初心者も快適に滞在できる。海水浴場も車で5分と、気軽に足を延ばせる距離。

⬆温暖な気候で、冬でも暖かく明るい雰囲気の場内

⬅潮風がそよぎ、瀬戸内海に浮かぶ島々の影に沈む美しい夕日を眺められる高台の公園

近隣スポット&所要時間(車)

買い物 「ファミリーマート」…約5分
遊び場 「新都志海水浴場」…約5分
「淡路ファームパーク イングランドの丘」…約45分
病院 「五色診療所」…約5分

CAMPING AREA

オートサイト	40区画(約9m×9m)+フリーサイト(約3台) ●AC電源付き:40区画 デイ利用・1泊とも4400円〜 ●AC電源なし:フリーサイト(約3台) デイ利用・1泊とも2750円〜 ※デイ利用は12:00〜21:00
サイトの状態	砂 土 芝生 その他
入場料	無料
駐車料	無料
モデル料金	大2 小2 1泊 ➡ 約2750円 ※AC電源なしサイト利用の場合
その他	ログハウス12棟:1泊16500円〜

携帯電話: au docomo SoftBank

利用条件:

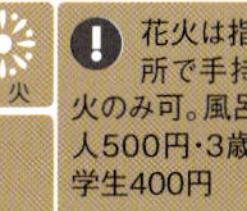
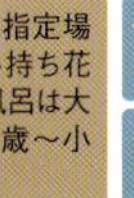

※犬・猫のみ可

花火は指定場所で手持ち花火のみ可。風呂は大人500円・3歳〜小学生400円

施設:

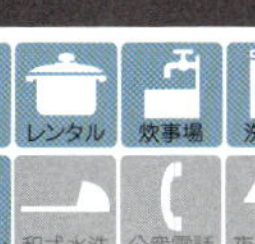

※管理棟24時間、売店8:00〜22:00、飲食店11:30〜14:00・17:30〜21:00(LO 20:00)(夕食は予約要)、風呂10:30〜21:30(休業日あり) ※レンタルはタープ・寝袋・BBQ用具などが可

兵庫県

ハチ高原 THE PARK

HP FB Instagram

●はちこうげんざぱーく

兵庫県養父市丹戸字越中881-1

予約受付 利用月の2カ月前の1日から
※予約はwebフォームからのみ(利用日の2日前まで)

問 TEL **080-8894-7312**(9:00〜17:00)

問 MAIL **info@hachi-thepark.jp**

利用期間 4月末〜11月初旬 ※火・水曜休

in 13:00
out 11:00

北近畿豊岡自動車道「八鹿氷ノ山」ICから 車で約30分

乗り入れ可能車種

⬆オートサイト横にはグランピングテントが5棟並ぶ

キャンプ&アクティビティで日常を忘れられる滞在を

鉢伏山(はちぶせやま)の中腹にあるハチ高原。夏はハイキングやパラグライダー、冬はスキー&スノーボードと1年中楽しめる関西有数のアウトドアスポットだ。そんな高原に2021年オープンしたキャンプ&グランピング施設では、爽やかな風が心地良いオートサイトでリゾート気分に浸れる。ジップラインやツリークラミング、夏季など期間限定の沢登り体験などのアクティビティも充実。グランピング専用デッキではたき火体験も可能。

➡標高約850mの場所にあるサイトからは、夜空に広がる満天の星を眺められる

CAMPING AREA

オートサイト	**32**区画(約10m×10m〜約10m×27.5m) ●AC電源なし:32区画 1泊4500円〜
サイトの状態	砂 土 芝生 その他
入場料	大人**1000**円・3歳〜小学生**500**円 ※環境協力金1サイト1泊**300**円
駐車料	**無料**(1サイト1台までサイト利用料に含む、2台目から普通車1台1000円)
モデル料金	大2 小2 1泊 ➡ 約**7500**円〜
その他	グランピング5棟:1泊夕食BBQ付1人9800円〜

近隣スポット&所要時間(車)

温泉 「合格の湯(天然温泉まんどの湯)」…約20分
「とがやま温泉 天女の湯」…約30分
買い物 「ミニフレッシュ 関宮店」…約20分
遊び場 「おおやアート村 BIG LABO」…約35分
病院 「八鹿病院」…約40分

※管理棟8:00〜21:00(グランピングの利用状況により変更あり)

魚ヶ滝荘 オートキャンプ場

●うおがたきそうおーときゃんぷじょう

HP　FB　Instagram

兵庫県朝来市生野町魚ヶ滝671

予約受付　随時（利用当日の受付可）

問　TEL 079-679-4334（9:00〜17:00）
FAX 079-679-4333

利用期間　通年

in 13:00 ※ハイシーズンは変更あり
out 12:00 ※ハイシーズンは変更あり

播但連絡道路「生野」ICから　車で約25分

乗り入れ可能車種

普通車　キャンピングカー　トレーラー

夏は思い切り水遊び 澄みきった滝つぼへダイブ

銀山で栄えた生野町にあり、銀山湖上流の魚ヶ滝と清流・市川に隣接。芝地のオートフリーサイトは開放感いっぱいだ。春は桜、初夏はホタル、秋は紅葉と1年を通じて自然の美しさに触れられるが、おすすめは夏の魚ヶ滝。滝つぼへダイブしたり、天然のウォータースライダーのような滝をすべり降りたり、子どもも大人も夢中になって遊ぶ姿が絶えない。アマゴやウグイ釣りもでき、ファミリーキャンパーに人気のキャンプ場だ。

⬆サイトは川べりにあり、清流のせせらぎが心地良い

⬅美しい芝地のサイトは開放感たっぷり。BBQセットや用具、水遊び道具の販売もあり

近隣スポット＆所要時間（車）

温泉　「黒川温泉」…約10分
買い物　スーパー「ミニフレッシュ生野店」…約20分
「ローソン」…約25分
遊び場　「ヨーデルの森」…約30分
病院　「神崎総合病院」…約40分

CAMPING AREA

オートサイト	フリーサイト（約70台） ●AC電源なし デイ利用・1泊ともタープ・テント1張800円 ※デイ利用は10:00〜16:00
サイトの状態	砂　土　芝生　その他
入場料	大人**500**円・4歳〜小学生**300**円 ※美化協力金1人**100**円
駐車料	普通車 デイ利用**800**円・1泊**1500**円
モデル料金	㊎2 ㊗2　1泊 ➡ 約**4200**円
その他	なし

携帯電話
au
docomo
SoftBank

利用条件

デイキャンプ　ゴミ捨て　直火　花火

ペット　※マナーを守ること

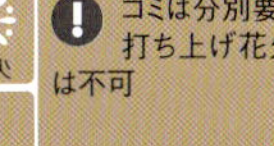

ゴミは分別要。打ち上げ花火は不可

施設

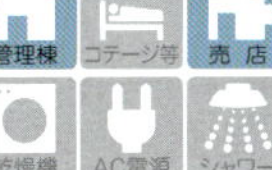

管理棟　コテージ等　売店　飲食店　自販機　レンタル　炊事場　洗濯機
乾燥機　AC電源　シャワー　風呂　洋式水洗　和式水洗　公衆電話　夜間照明

※管理棟10:00〜15:00、売店10:00〜18:00

兵庫県

春日の観光 日ヶ奥渓谷キャンプ場

林間

●かすがのかんこうひがおくけいこくきゃんぷじょう

JR福知山線
追入
市島線
渡所橋
多利
284
舞鶴若狭自動車道
日ヶ奥渓谷
黒井川
175
ローソン
道の駅 丹波おばあちゃんの里
春日Jct.IC
138
69

兵庫県丹波市春日町多利タキガナル252-1

予約受付 **随時**（利用日の1日前まで）

TEL 0795-74-1549（8:00～19:00／自宅）

TEL 0795-74-2423（土日祝・夏休み期間のみ／現地）

利用期間 **4月下旬～11月下旬** ※臨時休あり

in 12:00
out 11:00

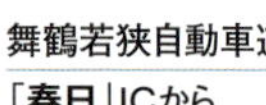

舞鶴若狭自動車道
「春日」ICから

乗り入れ可能車種

普通車 キャンピングカー トレーラー

⬆ピクニック気分でバーベキューができる野外炉も設置

静かな湖面が目の前 木もれ日が美しい林間サイト

奇岩巨壁を縫って清流が流れる日ヶ奥渓谷の入り口に位置し、妙高山ハイキングの起点にもなる格好のアウトドアスポット。敷地は静かなダム湖のほとりで、小川の魚つかみ場や釣り用の桟橋、プールなど、自然と一体になって遊べる施設も用意されている。事務所や自炊棟、バーベキュー棟に近く便利なオートサイトのほか、ログハウスなどの宿泊施設も多彩。レンタル品が充実し、食材と食器だけ用意すれば気軽にバーベキューができる。

CAMPING AREA

オートサイト	**5**区画（サイトサイズ不明） ●AC電源付き 1泊3500円 ※AC電源使用は別途500円
サイトの状態	砂 土 芝生 その他
入場料	デイ利用 大人**500**円・3歳～小学生**300**円 1泊 3歳以上**300**円
駐車料	普通車1泊**700**円 （オートサイト以外を利用の場合）
モデル料金	㊅2㊕2 1泊 ➡ 約**4700**円 ※AC電源なしオートサイト利用の場合
その他	バンガロー3棟:1泊6000円 ほか ※デイ利用は10:00～16:00

➡静かな水面と緑の木立に囲まれた気持ちいいサイト。地面が硬めのためペグ打ちは慎重に

近隣スポット＆所要時間（車）

- 温泉 「国領温泉 助七」…約15分
- 買い物 スーパー「ココモ」…約10分
  「道の駅 丹波おばあちゃんの里」…約10分
- 遊び場 「日ヶ奥の滝」…約10分（徒歩）
- 病院 「高見医院」…約5分

※管理棟9:00～17:00、売店9:30～17:00 ※レンタルは毛布・調理用具・BBQ用具・イロリが可

キャンプリゾート 森のひととき

HP FB Instagram

●きゃんぷりぞーともりのひとときき

兵庫県丹波市市島町与戸字長尾52-1

予約受付 利用日の2カ月前の1日から

TEL **0795-78-9111**（9:00〜18:00）
FAX **0795-85-2681**

利用期間 通年

in 13:00 ※アーリーチェックイン 11:00〜
out 11:00 ※レイトチェックアウト 〜13:00

舞鶴若狭自動車道「春日」ICから

乗り入れ可能車種

露天風呂からレストランまで 施設充実の快適リゾート

丹波の山々に囲まれた複合宿泊施設。オートサイトは、愛犬と一緒に過ごせるペットサイト5区画と、同伴不可の14区画。露天風呂のほか朝食ビュッフェや地元食材の料理が味わえるレストランなどの施設、レンタル品も充実し、手ぶらでも気軽にアウトドアが楽しめる。土日や夏休みには多彩なイベントも開催。中でもスタッフと一緒に歌って踊って盛り上がるキャンプファイアーはリピーターがいるほどの人気とか。

↑豊かな緑に囲まれた、ゆったり広めの芝地のオートサイト

←週末には、クラフト作りや水鉄砲バトルなど親子で楽しめるイベントが開かれる

近隣スポット＆所要時間（車）

温　泉「国領温泉 助七」…約15分
「福知山温泉」…約30分
買い物「高見牧場 安食の郷」…約5分
「道の駅 丹波おばあちゃんの里」…約10分
病　院「兵庫県立柏原病院」…約30分

CAMPING AREA

オートサイト	**19**区画（約10m×12m） ●AC電源付き:17区画 デイ利用2000円〜・1泊3800円〜 ※デイ利用は11:00〜16:00 ※アーリーチェックインは別途1000円 ※レイトチェックアウトは別途1000円
サイトの状態	砂　土　芝生　その他
入場料	**500**円（施設利用料）※宿泊以外の場合
駐車料	**無料**
モデル料金	大2 小2　1泊 ➡ 約**7000**円
その他	コテージ10棟:20000円〜 トレーラーロッジ28棟:12000円〜 キャビン2棟:43000円〜 デッキハウス10棟:9000円〜 ほか

携帯電話
au
docomo
SoftBank

利用条件

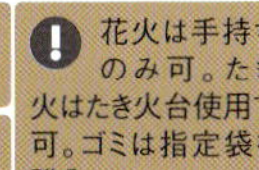

※犬のみ可

花火は手持ちのみ可。たき火はたき火台使用で可。ゴミは指定袋を購入

施設

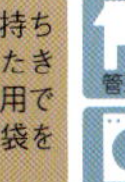

※管理棟9:30〜20:00（土日祝、GW、夏休み期間などは最長23:00まで）、売店7:00〜23:00、飲食店（レストラン）11:00〜14:30、風呂8:00〜11:00、16:00〜23:00

兵庫県

しあわせの村 オートキャンプ場

HP FB Instagram

●しあわせのむらおーときゃんぷじょう

兵庫県神戸市北区しあわせの村1-6

予約受付 利用日の6カ月前の5日から(利用当日の受付可)
※高齢者・障がい者は9カ月前の5日から

TEL 078-743-8000(9:00～18:00)

利用期間 **通年** ※12～2月は土日祝のみ

in 15:00
out 13:00

阪神高速
「しあわせの村」ICから

乗り入れ可能車種

普通車 キャンピングカー トレーラー

⬆1区画約10×11mの広さがあるオートサイト。独立性も高い

街からすぐの緑の楽園 多彩なスポーツ設備も充実

三宮から車で約25分。約205haの広大な緑の敷地内にキャンプ場やスポーツ施設、ホテル、温泉が点在。バリアフリーにも対応し、家族で快適に過ごせる。ポニーの乗馬体験や遊具いっぱいのトリム園地など、子どもの遊び場も豊富。AC電源や炉・流し台などを完備するオートサイトのほか、常設テントキャンプ場とデイキャンプ場(バーベキューサイト)も。食材は、売店での販売(予約要)があり、村内の「しあわせマルシェ」で野菜も手に入る。

CAMPING AREA

オートサイト	**45**区画(約11m×10m) ●AC電源付き:45区画 普通車サイト デイ利用2000円・1泊5000円 キャンピングカーサイト 1泊6000円 ※デイ利用は10:00～19:00(12～2月は～17:00)
サイトの状態	砂 土 芝生 その他
入場料	**無料**
駐車料	普通車1日**500**円 (オートサイト1泊の場合は利用料に含む)
モデル料金	㊚2 ㊛2 1泊 ➡ 約**5000**円
その他	テントキャンプ場25区画:デイ利用1人200円・1泊1人300円 ※別途常設テント使用料1サイト800円、利用は3～11月のみ

➡オートサイトには個別にAC電源・水道・流し台・野外炉・ベンチが備えられている

近隣スポット&所要時間(車)

買い物 スーパー「万代」…約5分
「セブンイレブン」「ローソン」…約5分
「ファミリーマート」…約10分
遊び場 「六甲山」「須磨海浜水族園」…約30分
病院 「顕修会すずらん病院」…約10分

施設
管理棟 コテージ等 売店 飲食店 自販機 レンタル 炊事場 洗濯機
乾燥機 AC電源 温水シャワー 風呂(温泉) 洋式水洗 和式トイレ 公衆電話 夜間照明

利用条件
デイキャンプ ゴミ捨て 直火 花火
ペット

! ゴミは分別等規則あり。風呂(温泉)は大人800円・中学生以下400円(宿泊者は2割引)

携帯電話
au
docomo
SoftBank

※管理棟・売店9:00～17:00、飲食店7:00～20:30、風呂(温泉)10:00～22:00(最終受付21:00) ※レンタルは寝袋・毛布・調理用具・BBQ用具・コンロ・テーブル&イスが可

Camp Village タロリン村

●きゃんぷゔぃれっじたろりんむら

兵庫県姫路市書写菅生坂口3006-1

予約受付 利用日の3カ月前から(利用当日の受付可)
※webフォームからも受付可(利用日の1日前まで)

TEL **079-335-5550**(9:00〜18:00)

利用期間 通年 ※祝日・春休み期間・夏休み期間を除く木曜休

in 15:00 ※タロリンハウス・キャンピングカー16:00
out 10:00

山陽自動車道「**姫路西**」ICから 車で約**10**分

乗り入れ可能車種

普通車 キャンピングカー トレーラー

姫路から車ですぐの好立地 ペットと一緒にアウトドア!

姫路市中心部から車で約20分、書写山(しょしゃざん)西ふもとにある箱庭のようなキャンプ場。AC電源と水道完備のオートサイトのほか、自然豊かなフリーサイトやエアコン付きのバンガロー、キャンピングカーなども。またドッグランもあり、ペットと一緒にアウトドアを楽しめる。場内ではニジマス釣りもできるので、竿やエサをレンタルして挑戦してみて。スーパーやコンビニが近くにあり、安心して過ごせるのも魅力のひとつ。

⬆木々の緑が美しいオートサイトでのんびりと

⬅屋根付きのバーベキューサイト。肉や野菜など食材は予約で用意してもらえる。食材の持ち込みもOK

近隣スポット&所要時間(車)

- 温泉 「Newサンピア姫路ゆめさき」…約5分
- 買い物 スーパー「マックスバリュ」…約2分
  「ローソン」…約2分
- 遊び場 「太陽公園」…約10分
- 病院 「姫路田中病院」…約10分

CAMPING AREA

オートサイト	**5**区画(約8m×8m)※場所により異なる ●AC電源付き:5区画 デイ利用1500円〜+1人250円 1泊2500円〜+1人500円 ※デイ利用は10:15〜14:45
サイトの状態	砂 **土** **芝生** その他
入場料	中学生以上**500**円・3歳〜小学生**300**円・ペット**200**円
駐車料	**無料**
モデル料金	㊅2㊛2 1泊 ➡ 約**6600**円
その他	フリーテントサイト約10張:デイ利用1000円〜+1人250円・1泊1500円〜+1人500円 タロリンハウス1棟:1泊13000円〜 ほか

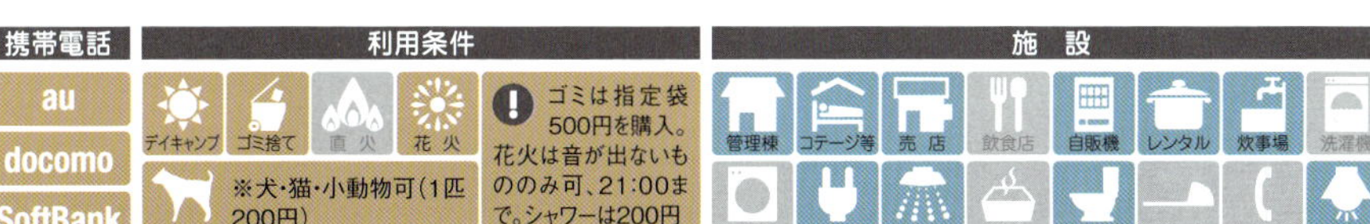

携帯電話 au docomo SoftBank

利用条件 デイキャンプ ゴミ捨て 直火 花火 ペット

※犬・猫・小動物可(1匹200円)

ゴミは指定袋500円を購入。花火は音が出ないもののみ可、21:00まで。シャワーは200円

施設 管理棟 コテージ等 売店 飲食店 自販機 レンタル 炊事場 洗濯機 乾燥機 AC電源 温水シャワー 風呂 洋式水洗 和式トイレ 公衆電話 夜間照明

※管理棟9:00〜18:00 ※レンタルはテント・タープ・たき火台・ランタン・調理用具・BBQ用具・コンロ・テーブル&イスなどが可

兵庫県

グリーンパーク ハチ北

●ぐりーんぱーくはちきた

HP FB Instagram

兵庫県美方郡香美町村岡区大笹

予約受付 利用日の2カ月前の1日から(利用当日の受付可)
※webフォームからも受付可(3日前まで)

TEL 090-4643-0681(8:00〜17:00)
MAIL info@hachikita.green

利用期間 5月1日〜10月31日 ※祝日・夏休み期間を除く木曜休

in 13:00
out 12:00

北近畿豊岡自動車道「八鹿氷ノ山」ICから 車で約40分

乗り入れ可能車種

普通車 キャンピングカー トレーラー

↑木陰のオートサイトは、夏でも快適に過ごせる

大自然に囲まれたハチ北高原 夜は満天の星を眺めて

冬はスキー客で賑わうハチ北高原にあり、標高が高いので夏の避暑キャンプにもぴったり。サイトは森林浴が楽しめる林間がメインだが、場内にはテーブルとイスが設置された開放的な広場もある。1人でのんびりと過ごせるソロキャンプの専用サイトも人気。澄んだ空気の中、見上げる星空は格別だ。より自然を満喫したい人は、もののけの森を通って昇龍の滝へぜひ。常設ステージでは音楽ライブが開催されることも。

CAMPING AREA

オートサイト	25区画(約6m×10m)+フリーサイト(約20台) ●AC電源なし デイ利用は入場料+駐車料金・1泊は2500円〜 ※デイ利用は9:00〜15:00
サイトの状態	砂 **土** 芝生 その他
入場料	デイ利用 大人**300**円・小学生**200**円 1泊 大人**700**円・小学生**500**円 ※管理費・美化協力金1組**500**円
駐車料	普通車**500**円
モデル料金	㊇2㊉2 1泊 ➡ 約**5900**円
その他	ソロキャンプ専用サイト5区画:デイ利用は入場料+駐車料・1泊は1500円〜

➡ゴルフ場の先には大笹牧場があり、但馬牛が放牧されている姿が見られることも

近隣スポット&所要時間(車)

- 温泉 「村岡温泉」…約25分
- 買い物 「道の駅 村岡ファームガーデン」…約25分 スーパー「ナカケー村岡店」…約20分
- 遊び場 「たじま高原植物園」…約10分
- 病院 「村岡病院」…約25分

施設

管理棟 コテージ等 売店 飲食店 自販機 レンタル 炊事場 洗濯機 乾燥機 AC電源 シャワー 風呂 洋式水洗 和式水洗 公衆電話 夜間照明

利用条件

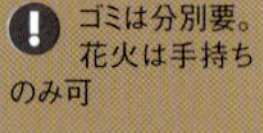

デイキャンプ ゴミ捨て 直火 花火

ゴミは分別要。花火は手持ちのみ可

ペット ※リードでつなぐこと

携帯電話

au docomo SoftBank

※管理棟13:00〜17:00 ※フリーサイトは区画サイトが満サイトの場合のみ利用可

赤穂海浜公園 オートキャンプ場

HP FB Instagram

●あこうかいひんこうえんおーときゃんぷじょう

兵庫県赤穂市尾崎3260-2

予約受付 利用日の3カ月前の1日から
※webフォームからも受付可

TEL **0791-45-0811**(9:00～16:30)

利用期間 1月4日～12月28日

in 14:00 ※コテージ15:00
out 11:00 ※コテージ10:00

山陽自動車道「**赤穂**」ICから

乗り入れ可能車種

普通車 キャンピングカー トレーラー

入門にぴったりの充実設備 家族の遊び場もいっぱい

瀬戸内海と千種川(ちくさがわ)に囲まれた赤穂海浜公園に隣接したキャンプ場。AC電源を備えたファミリーサイトは植栽で仕切られたプライバシー重視型で、水道や流し、炉付きで約120m²のロイヤルと、約100m²のエコノミーの2種(最大6人)。キャンピングカーサイトや、広々としたフリーサイトも。海浜公園内には遊園地やアスレチック遊具があるわんぱく広場やテニスコート、赤穂海洋科学館・塩の国もあり、家族でたっぷり遊べる。

⬆駐車場隣接の芝生フリーサイト。広場タイプで開放的

⬅AC電源や温水蛇口を備える炊事棟など、初心者でも安心の設備が整ったキャンプ場

近隣スポット&所要時間(車)

温泉 「赤穂温泉」…約5分
買い物 「ファミリーマート」「セブンイレブン」…約5分
遊び場 「赤穂海浜公園」…約5分(徒歩)
「赤穂大石神社」…約5分
病院 「赤穂市民病院」…約5分

CAMPING AREA

オートサイト	**44**区画(約10m×10m)+**フリーサイト**(約40台) ●AC電源付き:44区画 デイ利用2000円～・1泊3500円～ ●AC電源なし(一部あり):フリーサイト(約40台) デイ利用2000円～・1泊3500円～ ※デイ利用は9:00～17:00(5時間以内)
サイトの状態	砂 土 **芝生** その他
入場料	**無料**
駐車料	**無料**
モデル料金	㊤2 ㊥2 1泊 ➡ 約**4500**円 ※AC電源なしのエコノミーサイト利用の場合
その他	コテージ全10棟:1泊12000円～

携帯電話
au docomo SoftBank

利用条件
デイキャンプ ゴミ捨て 直火 花火 ペット

チェックアウトの時間は厳守すること。シャワーは5分200円

施設

※管理棟8:00～20:00、売店9:00～20:00 ※トイレの一部は温水洗浄便座付き

兵庫県

丹波篠山 渓谷の森公園

HP FB Instagram

●たんばささやまけいこくのもりこうえん

兵庫県丹波篠山市後川上1170

予約受付 利用日の3カ月前の1日から（利用当日の受付可）
※FAXでも受付可（利用当日の受付可）

TEL 079-555-2323（8:30～17:00）
FAX 079-555-2322

利用期間 3月中旬～11月中旬

in 13:30 ※コテージは14:00
out 11:00 ※コテージは10:00

舞鶴若狭自動車道
「丹南篠山口」ICから

乗り入れ可能車種

普通車 キャンピングカー トレーラー

木もれ日の中で親子一緒に遊べるスポットがいっぱい

芝生広場のある「わんぱくの森」、水遊びができる緩やかな渓流など、親子で体を動かして遊べる施設が多彩な森林公園の中。オートサイトは自然林に囲まれた芝地で、AC電源も備えている。レストランや売店を備えたメインハウス、屋根付きのバーベキューハウスもあり、気軽にアウトドアを体感できる。園内から大野山への登山道が整備され、大阪市街が一望できる山頂へは約1時間でアプローチできる。

⬆サイトは1区画約7×8mで、テントとタープが張れる広さ

CAMPING AREA

オートサイト	**24**区画（約7m×8m） ●AC電源付き デイ利用2100円～・1泊4700円～ ※AC電源は別途530円 ※デイ利用は9:30～16:30
サイトの状態	砂 土 芝生 その他
入場料	大人**300**円・4歳～中学生**200**円
駐車料	**無料**
モデル料金	㊇2㊉2 1泊 ➡ 約**5700**円 ※AC電源なしサイト利用の場合
その他	コテージ7棟：1泊19610円 デイキャンプサイト5区画：デイ利用1050円～

➡浴室やトイレ、調理器具など完備のコテージは7棟。レンガ造りのかまどが備えられている

近隣スポット＆所要時間（車）

買い物 スーパー「サンセブン」…約10分
遊び場 「ユニトピアささやま」…約25分
「篠山城趾」…約20分
病院 「岡本病院」…約20分
「兵庫医科大学ささやま医療センター」…約20分

※管理棟8:00～21:00（変更の場合あり）、売店9:00～17:00、飲食店11:00～14:00、風呂17:00～21:00 ※レンタルはテント・タープ・毛布・調理用具・BBQ用具などが可

ちいさな森キャンプ村

●ちいさなもりきゃんぷむら

川辺

HP　FB　Instagram

兵庫県加東市下鴨川西山602-140

予約受付 随時（利用当日の受付可）

TEL 0795-45-0602（8:00〜21:00）

利用期間 通年

in 12:00
out 11:00

中国自動車道「ひょうご東条」ICから 車で約15分

乗り入れ可能車種

普通車　キャンピングカー　トレーラー

まるで北欧を思わせる木立に囲まれた森のリゾート

東条湖からほど近い別荘地の森の中。手作り感あふれるアットホームな雰囲気で、各サイトは木々に囲まれているため、自分たちだけのプライベート空間でのんびり過ごせそう。サイトから直接行ける、東条湖の源流・鴨川にはいろんな魚がいるので、釣りがおすすめ。場内にシャワールームがあるほか、5種類のお風呂がそろうホテルグリーンプラザ東条湖もすぐ近く。低年齢の子どもも遊べる「東条湖おもちゃ王国」にも立ち寄ってみたい。

↑木立の中の林間フリーサイトが中心

←キャンプ場近くの鴨川は、釣りだけではなく川遊びを楽しむのにも最適の緩やかな流れ

近隣スポット＆所要時間（車）

- 風呂 「ホテルグリーンプラザ東条湖」…約5分
- 「こんだ薬師温泉 ぬくもりの郷」…約20分
- 買い物 スーパー「マックスバリュ」…約10分
- 遊び場 「東条湖おもちゃ王国」…約5分
- 病院 「加東市民病院」…約20分

CAMPING AREA

オートサイト フリーサイト（約30台）
●AC電源あり
デイ利用は入場料のみ・
1泊は持ち込みテント1張3000円
※AC電源使用は別途500円
※デイ利用は11:00〜17:00

サイトの状態 砂　土　芝生　その他

入場料 3歳以上500円

駐車料 無料

モデル料金 大2 小2　1泊 ➡ 約5000円
※AC電源なしサイト利用の場合

その他 なし

携帯電話
au
docomo
SoftBank

利用条件

デイキャンプ　ゴミ捨て　直火　花火

ペット ※犬・猫のみ可

シャワーは1回200円

施設

管理棟　コテージ等　売店　飲食店　自販機　レンタル　炊事場　洗濯機
乾燥機　AC電源　温水シャワー　風呂　洋式水洗　和式トイレ　公衆電話　夜間照明

※管理棟24時間（利用者があるときのみ）　※レンタルはテント・タープ・寝袋・毛布・調理用具・BBQ用具・コンロ・テーブル&イスが可

兵庫県

CHIKUSA Mountain Village

●ちくさまうんてんびれっじ

HP FB Instagram

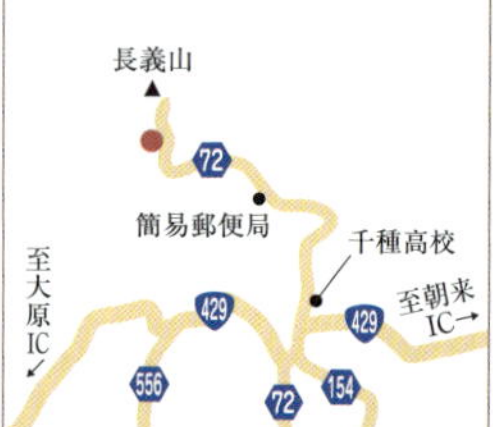

兵庫県宍粟市千種町西河内1047-218

予約受付 4月1日から(利用当日の受付可)
※webフォームからも受付可

問 TEL **0790-76-3555**(8:00〜17:00)
FAX **0790-76-3399**

利用期間 4月28日〜10月31日

in 13:00
out 11:00

中国自動車道
「山崎」ICから

乗り入れ可能車種

普通車 キャンピングカー トレーラー

⬆紅葉の名所としても知られ、秋景色を存分に堪能

雄大な自然に包まれ四季折々の魅力がいっぱい

標高約900mの高原に位置するので、真夏でも比較的涼しく快適に過ごせる。関西では珍しい白樺に囲まれたサイトも。子ども向けの遊具や入浴施設もそろい、ファミリーにも人気。近くには名水100選にも選ばれた清流・千種川(ちくさがわ)が流れ、川遊びも可能。クワガタやカッコウ、鹿なども多く生息し、春は桜、夏は新緑、秋は紅葉と自然美を感じられる。気軽に満喫したいなら、手ぶらで楽しめるグランピングもおすすめ。

CAMPING AREA

オートサイト	**42**区画(約6m×8m) ●AC電源なし 1泊3000円〜
サイトの状態	砂 土 芝生 その他
入場料	大人**300**円・小学生**300**円
駐車料	**無料**
モデル料金	大2 小2　1泊 ➡ 約**4500**円

その他 グランピングテント3棟:1泊大人14000円・小学生8000円・幼児5000円

➡高原の澄んだ空気でリフレッシュ。満天の星の下でのキャンプは格別!

近隣スポット&所要時間(車)

- 風呂 「エーガイヤちくさ」…約20分
- 買い物 「マックスバリュ」…約40分
  「ローソン」…約20分
- 遊び場 「船越山るり寺モンキーパーク」…約35分
- 病院 「千種診療所」…約20分

施設 / 利用条件 / 携帯電話

※管理棟8:30〜17:00、売店8:00〜17:00、飲食店8:30〜17:00、シャワー24時間、10分300円　※レンタルはテント・タープ・毛布・調理用具が可

今子浦キャンプ場

海辺

HP FB Instagram

●いまごうらきゃんぷじょう

兵庫県美方郡香美町香住区境今子

予約受付 GW分は1月4日から、7～9月分は4月1日から（利用当日の受付可）

TEL 0796-36-2650（8:00～18:00）

利用期間 GW・7月1日～9月30日

in 8:00
out 12:00

播但連絡道路「和田山」ICから 車で約80分

乗り入れ可能車種

普通車

キャンピングカー

トレーラー

目の前には景観の美しい海 家族でのんびりとした休日を

オートサイトのほか持ち込みテント専用のテントサイト、高床式の常設テントサイト、日帰りのデイキャンプサイトとサイトの種類が多く、好みで選べる。キャンプ場の目の前は、千畳敷で知られる今子浦海水浴場。波が穏やかな入り江で透明度も高く、海水浴やシュノーケリング、磯遊びなど、子ども連れのファミリーが楽しく遊べるのが魅力。カエルの形をした「かえる島」や、日本の夕陽100選にも選ばれた夕暮れの景色は必見。

⬆オートサイトは予約要。家電製品も使えるので便利

⬅高床式の常設テントサイト。内部床面は板張りで、1張に大人4～5人が宿泊できる

近隣スポット＆所要時間（車）

温泉 「かすみ矢田川温泉」…約15分
買い物 「ローソン」、近隣スーパー多数あり…約5分～
遊び場 「今子浦海水浴場」…すぐ（徒歩）
「余部クリスタルタワー」…約15分
病院 「香住病院」…約5分

CAMPING AREA

オートサイト	11区画（約10m×8m） ●AC電源付き:11区画 1泊3000円～
サイトの状態	砂 土 **芝生** **その他**
入場料	デイ利用 大人**300**円・3歳～小学生**200**円 1泊 大人**700**円・3歳～小学生**500**円
駐車料	普通車1日**500**円 ※オートサイトはサイト利用料に含む
モデル料金	大2 小2 1泊 ➡ 約**5400**円
その他	フリーテントサイト約80張:入場料のみ ※タープは1泊1000円 常設テントサイト19張:1泊4000円～ デイキャンプサイト約35張:入場料のみ

携帯電話

au docomo SoftBank

利用条件

バーベキューは バーベキュー用のコンロを使用すること。シャワーは1分100円

施設

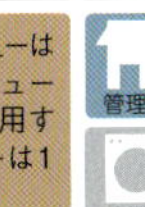

※管理棟24時間、売店7:00～20:00 ※レンタルはBBQ用具が可

兵庫県

新田ふるさと村

林間

●しんでんふるさとむら

HP FB Instagram

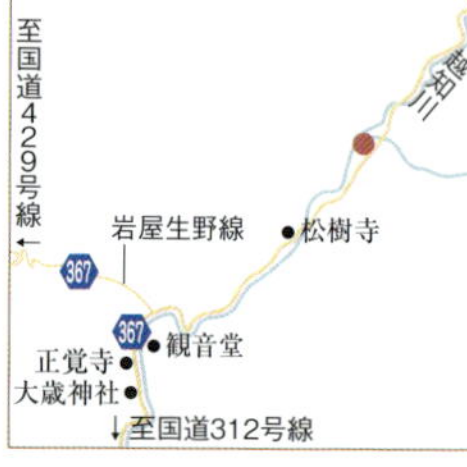

兵庫県神崎郡神河町新田340-1

予約受付 利用日の2カ月前の1日から
※予約はwebフォームからのみ(利用日の1日前の12:00まで)

問 TEL 0790-33-0870(9:00〜17:00)
問 FAX 0790-33-0871

利用期間 4月1日〜11月末

in 13:00 ※コテージ 15:00
out 11:00 ※コテージ 10:00

播但連絡道路「神崎南」ICから 車で約30分

乗り入れ可能車種

普通車

キャンピングカー

トレーラー

⬆オートサイトの近くには、水遊びOKの河原や芝生広場が

1日中遊べる施設が充実 爽やかな高原リゾート

千ヶ峰のふもとに広がる広大な敷地。区画サイト「オートサイト天の川」はテントが2張できる広さで、流しも個別に備えられ快適。ログコテージや杉の木の形をしたキャビンなど個性的な宿泊施設も充実している。屋根付きサイトでのバーベキュー(日帰り利用は予約要)や芝すべりといった遊具がそろう「お山の大将広場」など、1日中たっぷり遊べる。5〜10月に開催されるアマゴつかみ体験(予約要)も人気。

CAMPING AREA

オートサイト	**15**区画(約8m×10m)+**フリーサイト**(約20台) ●AC電源付き:15区画 1泊5000円〜 ※AC電源は別途600円 ●AC電源なし:フリーサイト(約20台) 1泊テント1張2000円 ほか
サイトの状態	砂 土 芝生 その他
入場料	大人**300**円・3歳〜小学生**200**円
駐車料	普通車1日**1100**円(キャンプサイトは1台まで無料)
モデル料金	大2 小2 1泊 ➡ 約**5000**円〜 ※AC電源なしサイト利用の場合
その他	杉ん子キャビン10棟:1泊7000円〜 お山のテントサイト20区画:1泊3000円〜

➡ログコテージには、堀ごたつやオープンテラスなど快適設備が備えられている

近隣スポット&所要時間(車)

買い物 「ローソン」…約30分
ホームセンター「コメリ」…約30分
「ジュンテンドー」「ナフコ」…約35分
スーパー「新鮮パワー」「Aコープ」…約30分
病　院 「神崎総合病院」…約25分

施設
管理棟 コテージ等 売店 飲食店 自販機 レンタル 炊事場 洗濯機 乾燥機 AC電源 温水シャワー 風呂 洋式水洗 和式水洗 公衆電話 夜間照明

利用条件
デイキャンプ ゴミ捨て 直火 花火 ペット

! ゴミ捨ては有料300円。花火は手持ちのみ可。シャワーは3分200円

携帯電話
au docomo SoftBank

※管理棟9:00〜17:00、売店9:00〜17:00、飲食店11:00〜15:00(LO 14:30)　※レンタルはテント・毛布・調理用具・BBQ用具・コンロが可

南光自然観察村

HP FB Instagram

●なんこうしぜんかんさつむら

兵庫県佐用郡佐用町船越222

予約受付 利用日の2カ月前の1日から(原則利用日の1日前まで)

問 TEL 0790-77-0160(8:30〜16:00)
MAIL kansatsumura@meg.winknet.ne.jp

利用期間 通年 ※年末年始休

in 14:00 ※キャビン・コテージ 16:00
out 13:00 ※キャビン・コテージ 10:00

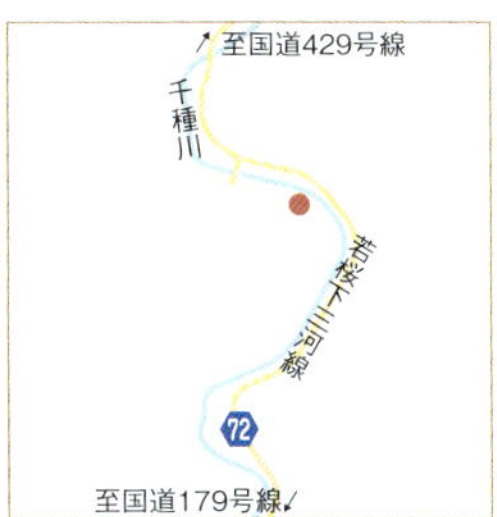

中国自動車道「佐用」ICから 車で約30分

乗り入れ可能車種

普通車 キャンピングカー トレーラー

名水のほとりで自然を体感 木の温もりに包まれる施設

そばを流れる千種川(ちくさがわ)は名水百選にも選ばれ、初夏にはホタルが舞う清流。オートサイトは1区画約150m^{2}と広く、仕切りの柵などもない開放的な空間。場内にはクヌギの木が多く、木陰で昼寝できるハンモック広場や自分で薪をくべて入るフィンランド式サウナ、キャンプファイアー場など、大人も子どもも楽しめる施設が充実している。薪ストーブのあるコテージや、ウッドデッキ付きのツリーハウスも人気。

↑鳥の巣をイメージしたツリーハウスで童心に返れそう

←千種川の脇に設けられた「じゃぶじゃぶ池」で川遊びを楽しむことができる

近隣スポット&所要時間(車)

買い物 「Yショップとしかげ」…約15分
スーパー「プチマルシェ」…約20分
遊び場 「船越山るり寺モンキーパーク」…約10分+約10分(徒歩)
病院 「尾﨑病院」…約5分

CAMPING AREA

オートサイト	24区画(約14m×11m) ●AC電源付き:19区画 デイ利用・1泊とも2000円〜 ※デイ利用は9:00〜16:00
サイトの状態	砂 土 芝生 その他
入場料	大人500円・小学生未満200円
駐車料	無料
モデル料金	大2 小2 1泊 ➡ 約4400円
その他	キャビン・コテージ14棟:1泊4000円〜 ツリーハウス9棟:4500円〜 テントサイト33区画:デイ利用・1泊とも1000円〜

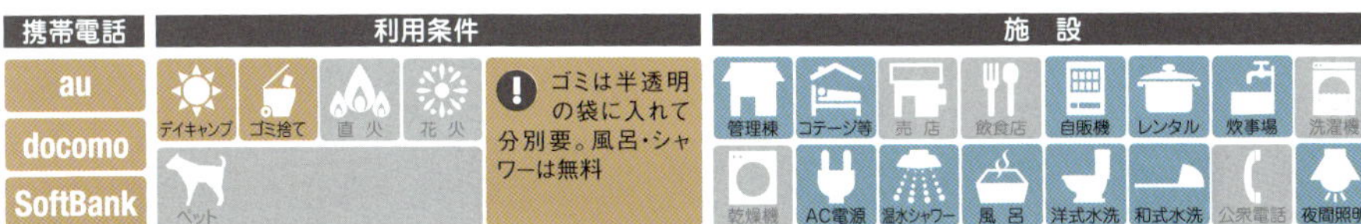

※管理棟24時間(宿泊者がいる場合) ※レンタルはテント・タープ・毛布・調理用具・BBQ用具・コンロ・ピザ釜・燻製器が可

兵庫県

日時計の丘公園オートキャンプ場

HP FB Instagram

●ひどけいのおかこうえんおーときゃんぷじょう

兵庫県西脇市黒田庄町門柳871-14

予約受付 利用日の3カ月前の1日から(利用当日の受付可)
※webフォームからも受付可

TEL **0795-28-4851**(9:00～18:00)
問 FAX **0795-28-4854**

利用期間 **通年** ※12月29日～1月3日休

in 14:00
out 13:00

中国自動車道
「滝野社」ICから
車で約20分

乗り入れ可能車種

普通車 キャンピングカー

トレーラー

⬆チェックアウトが遅く、のんびりできるのもうれしい

充実設備がリニューアル 豊かな自然と「時」を感じて

東経135度の子午線上に位置し、時をテーマにした公園内にある。オートサイトは全サイトAC電源付きで、水道や流し台も完備。シャワーや炊事棟なども清潔で快適に使える。キャンピングカーサイトやデイサイト、ロッジ・コテージもある。基本的なキャンプ用品から遊び道具までレンタル品が充実しているので、食材だけ用意すれば気軽に出かけられる。「農家レストラン日時計」では、地元の旬の食材を使ったメニューが味わえる。

CAMPING AREA

オートサイト	**60**区画(約7m×10m) ●AC電源付き デイ利用1500円・1泊3000円～ ※デイ利用は10:00～18:00
サイトの状態	砂 土 芝生 その他
入場料	**無料**
駐車料	**無料**
モデル料金	㊅2 ㊇2 1泊 ➡ 約**3000**円

その他 コテージ2棟:1泊10000円～
ロッジ10室:1泊6000円～

➡園内には親水テラスがあり、世界の日時計などユニークな日時計が野外展示されている

近隣スポット&所要時間(車)

風呂 「ぽかぽの湯」…約20分
「丹波の湯」…約20分
買い物 「マックスバリュ」「ローソン」…約15分
「道の駅 北はりまエコミュージアム」…約15分
病院 「大山記念病院」…約10分

※管理棟24時間、飲食店(レストラン)9:00～15:00 ※レンタルはテント・タープ・寝袋・毛布・調理用具・BBQ用具・テーブル&イスが可

フォレストステーション波賀 東山オートキャンプ場

山間

HP FB Instagram

●ふぉれすとすてーしょんはがひがしやまおーときゃんぷじょう

兵庫県宍粟市波賀町上野1799-6

予約受付 利用日の6カ月前から(利用当日の受付可)
※webフォームからも受付可(3日前まで)

問 TEL 0790-75-2717(8:00～20:00)
FAX 0790-75-2757

利用期間 4月中旬～11月中旬

in 14:00
out 12:00

中国自動車道「山崎」ICから

乗り入れ可能車種

普通車

キャンピングカー

トレーラー

手入れの行き届いた快適設備 お風呂はラドン温泉へ

標高1016mの丘陵地に広がる「フォレストステーション波賀」。芝生広場や東山山頂への遊歩道、木製遊具を備えた広場など、派手さはないが低年齢から大人まで自然に親しめる設備が整っている。オートサイトは芝地で、森の横や水辺など4エリア。周囲にゆとりがあるので8×10mの区画サイズ以上にゆったり過ごせる。サニタリーや流しも清潔。入浴は隣接の宿泊施設「メイプルプラザ」のラドン温泉がおすすめ。

⬆広大な敷地内にキャンプサイトやコテージが点在

⬅バス・キッチン・トイレ付きのコテージが9棟。隣接バーベキューサイトも完備している

近隣スポット＆所要時間(車)

買い物 「道の駅 みなみ波賀」…約10分
「道の駅 播磨いのちのみや」…約20分
「ローソン」…約20分
「コメリ」…約25分
病　院 「山岸診療所」…約5分

CAMPING AREA

オートサイト 60区画(約8m×10m)
●AC電源付き:22区画
デイ利用1700円～・1泊5000円～
●AC電源なし:38区画
デイ利用1200円～・1泊4500円～
※AC電源使用は別途1000円
※デイ利用は9:00～17:00
(GW・お盆は相談要)

サイトの状態

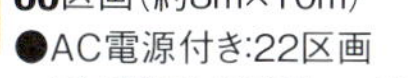

入場料 無料　**駐車料** 無料

モデル料金 大2 小2　1泊 ➡ 約4500円
※AC電源なしサイト利用の場合

その他 コテージ9棟:1泊17000円～

携帯電話 au docomo SoftBank

利用条件

デイキャンプ ゴミ捨て 直火 花火

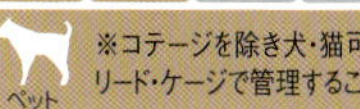

※コテージを除き犬・猫可。リード・ケージで管理すること

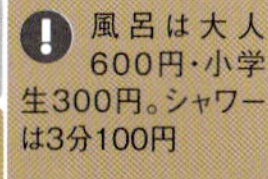

風呂は大人600円・小学生300円。シャワーは3分100円

施設

乾燥機 AC電源 温水シャワー 風呂(温泉) 洋式水洗 和式トイレ 公衆電話 夜間照明

※管理棟9:00～16:00、売店8:00～21:00、飲食店11:00～20:30、風呂(メイプルプラザ)11:00～22:00(最終受付21:00)　※レンタルはテント・コンロが可

兵庫県

山崎 アウトドアランド

HP FB Instagram

●やまさきあうとどあらんど

兵庫県宍粟市山崎町小茅野538-37

予約受付 3月20日から(利用当日の受付可)
TEL **0790-65-0666**(9:00～17:00)
問 FAX **0790-65-0680**
問 MAIL **otoiawase@yamasakioutdoorland.com**

利用期間 4月1日～11月31日

in 15:00
out 14:00

中国自動車道 「山崎」ICから 車で約30分

乗り入れ可能車種

普通車

キャンピングカー

トレーラー

⬆緩やかな傾斜のオートサイトは見通しがよく開放的

人里離れた山間の高原 ペットも一緒に快適滞在

山崎ICから車で約30分、標高650mの森林の中にサイトが点在する。流し台・野外炉・AC電源を完備したオートサイトや、バーベキューができるフリーサイト、充実設備のトレーラーハウスなど、好みで使い分けられる。ペット連れ専用サイトがあるのは、ペット好きもそうでない人にもうれしい限り。周囲の森には鹿やリスなどが生息し、夏にはミヤマクワガタも採れる。また夜になると満天の星を見ることも。

CAMPING AREA

オートサイト	**46**区画(約5m×10m) ●AC電源付き:30区画 デイ利用1700円・1泊3500円 ●AC電源なし:16区画 デイ利用1700円・1泊2500円 ※デイ利用は9:00～17:00
サイトの状態	砂 / **土** / 芝生 / その他
入場料	1グループ**300**円(美化協力金)
駐車料	**無料**
モデル料金	大2 小2 1泊 ➡ 約**2500**円 ※AC電源なしサイト利用の場合
その他	トレーラーハウス3台:1泊11500円 ほか

➡山の斜面を利用したトレーラーハウスを3台用意。ベッド・キッチン・エアコンも完備

近隣スポット&所要時間(車)

温泉 「エーガイヤちくさ」…約25分
「伊沢の里」…約30分
買い物 「イオン」…約30分
「マックスバリュ」…約30分
病院 「宍粟総合病院」…約30分

施設

管理棟 / コテージ等 / 売店 / 飲食店 / 自販機 / レンタル / 炊事場 / 洗濯機 / 乾燥機 / AC電源 / 温水シャワー / 風呂 / 洋式水洗 / 和式水洗 / 公衆電話 / 夜間照明

利用条件

デイキャンプ / ゴミ捨て / 直火 / 花火 / ペット

※ペットサイトのみで犬・猫ほか可

ゴミは指定袋を使用。22:00以降は静かに。シャワーは10分500円

携帯電話

au / docomo / SoftBank

※管理棟9:00～17:00、売店9:00～17:00 ※レンタルはテント・寝袋・毛布・テーブル&イス・ハンモックが可

湯の原温泉 オートキャンプ場

●ゆのはらおんせんおーときゃんぷじょう

HP FB Instagram

兵庫県豊岡市日高町羽尻1510

予約受付 随時

問 TEL 0796-44-0001（9:00〜17:00）
FAX 0796-44-1800

利用期間 4月1日〜11月30日

in 14:00 ※コテージ 15:00
out 11:00 ※コテージ 10:00

北近畿豊岡自動車道「日高神鍋高原」ICから

乗り入れ可能車種

普通車

キャンピングカー

トレーラー

アウトドアを楽しんだあとは 温泉と自然に癒やされて

大小の滝が続く阿瀬渓谷の入り口。AC電源と水道・流し台を備えた快適なオートサイトや、木陰が心地いい林間サイト、リーズナブルなフリーサイトなど、好みで選べるサイトは多彩。場内には遊具広場や体験田などもあり、自然の中で1日たっぷり遊べる。汗をかいたら「湯の原館」の温泉で、美しい景色を眺めてひと休み。併設のレストランではランチビュッフェや朝食（予約要で連休・夏休み期間のみ）も提供され、リゾート気分で利用できる。

⬆流し台・水道などの設備が整った区画オートサイト

⬅場内の温泉施設「湯の原館」には露天風呂もあり、温まりながら阿瀬の自然を満喫できる

近隣スポット＆所要時間（車）

- 買い物 「ミニストップ」…約15分
  スーパー「フレッシュバザール」…約20分
- 遊び場 「鱒釣り場」…約10分
  「植村直己冒険館」…約10分
- 病院 「日高医療センター」…約20分

CAMPING AREA

オートサイト	50区画（約10m×10m）＋フリーサイト（約23台） ●AC電源付き:50区画 デイ利用2100円・1泊4200円〜 ※AC電源使用は別途500円 ●AC電源なし:5区画＋フリーサイト（約18台） デイ利用1700円・1泊2500円〜 ※デイ利用は9:00〜16:00
サイトの状態	砂 土 芝生 その他
入場料	無料
駐車料	無料
モデル料金	㊫2 ㊯2 1泊 ➡ 約5000円 ※AC電源なしサイト利用の場合
その他	コテージ13棟:1泊16000円〜

携帯電話: au docomo SoftBank

利用条件

デイキャンプ ゴミ捨て 直火 花火 ペット

風呂は大人600円・3歳〜小学生400円

施設

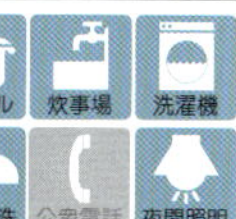

管理棟 コテージ等 売店 飲食店 自販機 レンタル 炊事場 洗濯機 乾燥機 AC電源 シャワー 風呂(温泉) 洋式水洗 和式水洗 公衆電話 夜間照明

※売店9:00〜20:00、飲食店11:00〜17:00（朝食8:30〜）、風呂（温泉）11:00〜20:00（曜日等で変動あり） ※レンタルはBBQセットなどが可

兵庫県

モビレージ東条湖

山間

HP FB Instagram

●もびれーじとうじょうこ

兵庫県加東市黒谷1206-127

予約受付 1月末から
※予約はwebフォームからのみ（利用日の1日前まで）

問 TEL **0795-44-0102**（9:00～18:00）

問 MAIL **kamiyama@hgp.co.jp**

利用期間 3月中旬～11月30日 ※火・水・木曜休

in 13:00
out 11:00

中国自動車道
「ひょうご東条」ICから

乗り入れ可能車種

⬆サイトの仕切りは小さな柵。お隣との交流を楽しもう

湖上をわたる涼風に吹かれて自然の中や遊園地で遊ぼう

青々と水をたたえる東条湖のほとり、小高い丘の林間に位置する静かなキャンプスペース。中国道のICから近いアクセスの良さと、テーマパーク「東条湖おもちゃ王国」が目の前という立地でファミリーキャンパーに人気が高い。マナーを守ればペットも入場可。オートサイトは流し台とAC電源の有無でABCの3種類に区分されている。場内は清掃が行き届き、一部給湯器を備えた炊事場や温水洗浄便座付きトイレなど、設備も快適。

CAMPING AREA

オートサイト	**36**区画（約8m×10m～約10m×10m） ●AC電源付き:26区画 デイ利用4400円・1泊7700円 ●AC電源なし:10区画 デイ利用4400円・1泊5500円 ※デイ利用は12:00～17:00
サイトの状態	砂 土 芝生 その他
入場料	**無料**
駐車料	**無料**
モデル料金	大2 小2 1泊 ➡ 約**5500**円 ※AC電源なしオートサイト利用の場合

その他 なし

➡緑に囲まれた静かな立地。ABサイトは約10m×10m、Cサイトは約8m×10m

近隣スポット＆所要時間（車）

- 温泉 「ホテルグリーンプラザ東条湖」…約7分（徒歩）
- 買い物 「マックスバリュ」…約10分
- 遊び場 「アクア東条」…約2分（徒歩）
  「東条湖おもちゃ王国」…約5分（徒歩）
- 病院 「加東市民病院」…約15分

※管理棟9:00～18:00（ハイシーズンは24時間）

Index

50音順に、キャンプ場名・読みがな・所在府県・掲載ページを挙げています。

Index